LA VÉRITÉ

Mouna AYOUB

LA VÉRITÉ

AUTOBIOGRAPHIE

AVERTISSEMENT

Ceci est une histoire vraie. Cependant, pour ne pas livrer au grand public les noms de mes proches, certains patronymes et prénoms ont été changés.

À mes enfants

J'ai écrit ce livre comme une catharsis. Pour me libérer des années de frustration d'une épouse saoudienne, et montrer comment j'ai pu réussir à briser ce carcan, mais à quel prix.

Le point final mis à ces pages, je me suis interrogée : fallait-il publier ces souvenirs ? Longtemps, j'ai hésité. Certains jours, il me paraissait évident que je devais livrer au public ce témoignage d'une femme soumise aux lois d'une société machiste, intégriste, rétrograde — dont on ne peut même pas imaginer les interdits en Occident —, et qui a pu néanmoins reconquérir son indépendance. Et puis, le lendemain, je renonçais. Ne valait-il pas mieux me taire, oublier mes douleurs et croquer le présent ?

Car si aujourd'hui les journaux occidentaux parlent parfois de moi, si les plateaux de télévision me reçoivent, ce n'est pas la Mouna de naguère, brimée, opprimée, malheureuse qu'ils recherchent mais la Mouna légère et

7

pétillante, la milliardaire joyeuse échappée de sa prison dorée. Alors, pourquoi ne pas jouer le jeu et laisser le passé sombrer dans l'oubli ? Pourquoi ne pas se contenter de briller dans l'éclat du moment ?

Et puis, j'ai pensé à mes cinq enfants dont je suis séparée, les lois de l'Islam m'ayant retiré leur garde depuis que j'ai arraché mon voile. Vont-ils croire les calomnies colportées sur mon compte dans certains palais de Riyad ? Vont-ils penser que leur maman n'est qu'une hystérique frivole au comportement douteux, comme le murmurent les médisants ?

Depuis quelques mois, une campagne haineuse se développe contre moi en Arabie Saoudite et jusqu'au Liban, le pays de mon enfance. Mes apparitions sur le petit écran et les échos dans la presse américaine, italienne ou française sont immanquablement ressentis, dans ces contrées, comme l'expression d'un atroce dévergondage qui fait figure de crime aux yeux des pudibonds.

Nadine, *magazine libanais en langue arabe, ne manque jamais une occasion de me faire passer pour une femme aux mœurs dissolues, une harpie cupide et malhonnête, amie des Juifs de surcroît, ce qui sans doute lui est intolérable. Quelques phrases extraites de ces pages nauséabondes ont été déterminantes pour la parution de ce livre. «Mouna la Libanaise» m'appelle-t-on là-bas comme on disait naguère, à Pigalle, « Nini la Rousse » en parlant d'une prostituée, qualificatif que l'on m'attribue aussi bien.*

« Elle a maîtrisé le jeu de la piraterie à un degré que

ne peuvent atteindre que les enfants de la rue qui souvent échouent et tombent dans les mailles de la police... »

« Mouna Ayoub qui lève ses jambes nues dans les lieux publics, comme le faisait Mistinguett... »

« Vous la voyez se comporter comme l'autruche qui enfonce la tête dans l'ordure de ses mensonges... »

« Dans la boue où elle s'est enfoncée, aucune personne respectable n'osera s'approcher d'elle... »

Quand j'ai lu cette prose immonde — qui continue de me parvenir régulièrement — je me suis dit que je ne pouvais pas laisser en pâture à mes enfants ces inepties venimeuses auxquelles je ne saurais répondre.

En atteignant l'honneur de leur mère, c'est le leur qu'on bafoue. J'ai donc voulu ici rétablir la vérité.

Pour qu'ils sachent vraiment qui je suis, ce que j'ai fait, et que je les aime plus que tout au monde.

Pour qu'ils n'écoutent pas seulement les voix des intégrismes étroits dont je suis la victime.

Pour que, réfléchissant, ils s'ouvrent tous les cinq à plus de tolérance, vis-à-vis des êtres humains en général et des femmes en particulier.

Et pour qu'enfin ils me reviennent.

Je leur dédie ce livre.

Avec tout mon amour de mère brisée.

Mouna AYOUB

I

LES ORANGES DU LIBAN

Farida élevait seule ses quatorze enfants et vivait sereinement du produit des belles orangeraies qu'elle possédait dans le nord de la Galilée. Les secousses de l'Histoire ne paraissaient pas devoir atteindre cette petite femme énergique au teint mat et aux cheveux de jais. Arabe et chrétienne orthodoxe, veuve (son mari était mort un mois après la naissance de leur dernier fils), elle avait donné son cœur à un gaillard blond aux yeux bleus, un Juif venu d'Europe habiter la terre de l'antique Promesse. Mais quand les peuples deviennent fous, les hommes sont emportés dans le tourbillon des passions.

Le Carmel dressait sa masse de verdure au-dessus des eaux bleues de la Méditerranée. Haïfa, alors un gros bourg en plein développement, se nichait sur les flancs de la montagne et les citernes de la raffinerie de pétrole jetaient leurs taches de lumière métallique sur ce paysage biblique. Ouvriers juifs et travailleurs arabes se côtoyaient dans une fraternité qui paraissait ignorer les soubresauts et les déchirements de la politique.

En cette fin de novembre 1947, l'Organisation des Nations unies venait de décider le partage de la Palestine en deux États, l'un pour les Juifs, l'autre pour les Arabes. Haïfa, comme tout le pays, allait bientôt s'embraser. Une grenade lancée par des extrémistes sionistes blessa des ouvriers arabes de la raffinerie, et en représailles trente-neuf Juifs furent assassinés... Bientôt, le vent de la violence et de la haine souleva la ville. Des coups de feu claquaient, partis de nulle part. Des francs-tireurs embusqués tiraient sur tous ceux qui passaient à portée de fusil. Hommes partant au travail, femmes revenant du marché, enfants jouant dans la rue étaient abattus ; la terreur et l'effroi se répandaient dans tous les quartiers. L'Angleterre, puissance mandataire, s'apprêtait à quitter la contrée et cinq pays arabes se lançaient dans une guerre totale pour étouffer au berceau le jeune État d'Israël.

Au mois d'avril 1948, des troupes juives, surgies des quartiers échelonnés sur les hauteurs du Carmel, descendirent dans la cité arabe en direction du port... Il fallait fuir, échapper au feu des belligérants, abandonner une ville ravagée par la guerre. L'amant aux yeux bleus embarqua Farida et ses enfants dans sa camionnette et roula des heures durant sur les routes poussiéreuses, dépassant les collines et les marais pour franchir les lignes et atteindre le Liban si proche et pourtant si lointain. Farida était sauvée, mais son bel amour s'en retourna aussitôt à Haïfa : le conflit élevait pour longtemps des murs infranchissables entre les communautés. Farida était désormais seule, arrachée à la vie heureuse et paisible qui avait été la sienne.

Avec une énergie farouche, cette femme illettrée se fit cuisinière dans un grand couvent des Frères lazaristes de Beyrouth et continua d'éduquer sa nombreuse progéniture. Bien plus tard, devenue une vieille dame, elle pleurait encore sur son bonheur resté là-bas, quelque part en Palestine, répétant sans cesse ces mots terribles :

— J'aurais mille fois préféré mourir à Haïfa plutôt que de venir traîner cette vie pénible au Liban...

Farida était ma grand-mère. Parmi ses enfants échappés de la Palestine en guerre se trouvait Laurice, une gamine de douze ans qui allait devenir ma mère. Au Liban, la jeune fille poursuivit des études d'infirmière puis, à l'âge de dix-huit ans, épousa Elias Ayoub, Libanais catholique de vingt et un ans, qui avait hérité de sa mère marseillaise une taille élancée et des yeux d'un bleu profond. Laurice, petite brunette au regard sombre, était plus trapue, plus orientale que son mari, et quand, aujourd'hui, je me regarde dans un miroir, je crois parfois revoir ses yeux...

Ambitieux, bien décidés à faire fortune, Elias et

Laurice partirent pour le Koweït au début des années cinquante. Depuis la fin de la Seconde Guerre mondiale, la British Petroleum anglaise et la Gulf Oil Corporation américaine pompaient le pétrole du sous-sol arabique dans un système dit du « fifty-fifty » qui laissait à l'émirat la moitié des bénéfices de cette exploitation. Tout un pays échappé brusquement à la misère et au nomadisme était à inventer. La région du Golfe avait besoin d'étrangers, de main-d'œuvre, de savoir-faire, aussi de nombreux Libanais émigrèrent-ils à cette époque-là. Le premier hôpital koweïtien venait d'ouvrir ses portes, ma mère y apporta ses compétences. Mon père, lui, travailla dans la construction et fonda une petite entreprise qui employait une quinzaine de salariés. Les tentes et les maisons en terre battue laissèrent bientôt la place à des bâtisses modernes, et la besogne ne manquait pas dans cette contrée remodelée par une urbanisation galopante.

Au début, pourtant, les conditions de vie étaient assez pénibles. Ma mère me raconta souvent qu'il était compliqué de trouver de quoi se nourrir, en tout cas pour ce qui était des légumes. Les denrées fraîches provenant exclusivement de l'étranger, on devait attendre un arrivage parfois pendant deux mois. Entre-temps, il fallait se mettre au régime local : riz, mouton, et poisson frais pêché dans le golfe Persique.

En 1954, mes parents ont eu un premier fils qui est mort en bas âge. L'année suivante est venue au monde ma sœur aînée Sonia. Je suis née moi-même au Koweït, le 25 février 1957. J'avais à peine six mois quand mes parents nous ont envoyées au Liban, Sonia et moi, chez notre grand-mère Farida.

La séparation fut très rapide, très brutale. Travaillant tous deux, mon père et ma mère ne pouvaient s'occuper de nous. Par ailleurs, plus tard, comme ils tenaient avant tout à nous voir fréquenter de bonnes écoles, nous ne pûmes demeurer dans ce désert qu'était alors le Koweït. Mon père et ma mère avaient gagné un peu d'argent et pouvaient se permettre de nous inscrire dans les meilleurs établissements chrétiens du Liban.

Jusqu'à l'âge de trois ans, je suis restée avec ma grand-mère puis j'ai été envoyée dans la montagne libanaise, en pension chez les sœurs de l'Ordre Antonin. Cette première année d'internat a été une période terriblement difficile de ma vie d'enfant et j'en ai beaucoup souffert. D'abord, je ne supportais pas d'être séparée de ma mère et de ma grand-mère ; ensuite, je m'adaptais mal au monde rigide de l'institution catholique. J'étais sans doute déjà une bonne élève, mais d'un caractère assez énergique et plutôt étourdi. Je n'écoutais guère ce qu'on me disait et voulais n'en faire qu'à ma tête. Est-ce pour cela qu'une bonne sœur m'avait prise en grippe ? Je ne sais trop pourquoi, mais elle me détestait. Pourtant je n'étais qu'une gamine de trois ans.

Un matin de printemps, alors que nous étions toutes réunies au réfectoire pour le petit déjeuner, elle avisa une tache minuscule qui déparait mon tablier à carreaux blancs et bleus... Cette éclaboussure d'encre, ou de confiture, déclencha contre moi la colère de la religieuse. Perdant tout contrôle, elle se déchaîna sur moi à coups de bâton. Elle me frappait le dos, les bras, les jambes. Tendant mes mains en avant, je tentais vainement de me protéger, mais les coups pleuvaient et je ne pouvais y échapper. Je m'écroulai sur le sol, hurlant de douleur, de rage, de peur. Tous les enfants étaient tétanisés, pétrifiés, essayant de comprendre pour quelle obscure raison j'avais subi cet implacable châtiment. Dans un coin de la salle, ma sœur pleurait en silence, désespérée de ne pouvoir rien faire.

Peu après, je tombai malade, abattue par une forte fièvre. Mon corps endolori n'était que bleus et infection ; mes blessures saignaient et des poches de pus se formaient. Pour me soigner, on appliquait sur mes blessures et mes inflammations du pain trempé dans de l'eau et ma tortionnaire me prévenait :

— Ta maman va venir te chercher. Si tu lui racontes ce que je t'ai fait, je te battrai davantage encore ! Tu lui diras que c'est Antoine...

Selon la version officielle et autorisée, je devais donc prétendre que je m'étais chamaillée avec Antoine, un petit camarade de la classe...

Je suis restée une dizaine de jours au lit avant que maman n'arrive dans une énorme voiture américaine dont je n'oublierai jamais la marque, un nom qui m'a bien fait rire : De Soto, ce qui pour moi se prononçait évidemment « des autos ».

J'étais si heureuse de revoir maman ! Jusqu'à ce moment, elle n'avait existé que dans mes rêves les plus douloureux. Elle me manquait terriblement, mais elle habitait mon cœur et mes pensées. Loin d'elle, j'avais vécu dans les ténèbres. Elle était belle et lumineuse, son visage annonçait pour moi la fin de l'orage. J'aimais profondément sa voix douce, son calme, son élégance et son parfum. Sa seule vision effaçait toutes mes peines et guérissait mes blessures. Comme je ne pouvais pas marcher, elle m'a enveloppée dans des couvertures et m'a emmenée à l'hôpital où j'ai été soignée pendant presque un mois, ce qui fait que j'ai raté cette année scolaire. Mais j'étais si petite, ce n'était pas bien grave.

À la suite de cet épisode, mes parents se sont décidés à rentrer au Liban pour s'occuper de nous. Fini le pensionnat, la soupe froide et les punitions. Que la vie était belle...

À Sid El Bauchrié, dans une région des environs de Beyrouth à majorité chrétienne et arménienne, ma mère a fait construire un petit immeuble de deux étages, très agréable, avec cinq appartements. Mes parents, ma sœur Sonia, mon jeune frère Samir, âgé de deux ans, et moi-même avons occupé le plus vaste et le plus confortable, les autres ont été loués à des familles des environs. Peu après, est née ma petite sœur Samia.

Notre Liban n'était pas pour tout le monde le pays de l'opulence que les gens imaginent souvent. Les musulmans étaient riches, certains d'entre eux détenaient des postes importants dans les pays du Golfe et pouvaient envoyer de l'argent à leur famille. Par rapport à eux, nous les chrétiens étions à peine aisés, mais nous étions cultivés et nous avions de bonnes écoles. Les ingénieurs, les médecins, les érudits venaient de chez nous. Nous vivions simplement, en famille, nous poursuivions nos études, menant une existence heureuse et sans faste. À Beyrouth, sans doute la société était-elle différente, là-bas s'étalait le milieu de l'argent et de la décadence, mais ce monde-là, je ne l'ai pas connu.

Nous habitions en dehors de la ville et il fallait faire un bon chemin pour gagner le petit centre où ma mère avait ouvert un supermarché. À Sid El Bauchrié, il y avait aussi un boucher, quelques boutiques, un coiffeur, un supermarché concurrent, un petit hôpital, une école et une église. Mais ce que je préférais par-dessus tout, c'était la nature magnifique qui entourait notre immeuble. Isolé sur un flanc de coteau, il était environné d'une forêt vers le haut et d'une grande orangeraie vers le bas. Des orangers et des mandariniers, entre lesquels poussaient des mûriers et des fraisiers sauvages, embaumaient l'air, et je me nourrissais toute la journée de fruits que je grappillais sur les arbres.

J'avais un tempérament très sauvage − je pense l'avoir encore −, aussi lorsque ma mère et ma grand-mère dormaient, lorsque personne ne s'occupait de moi, je quittais la maison tôt le matin et m'évadais seule dans la campagne. Dès ma plus tendre enfance, j'ai ressenti ce besoin d'être constamment aimée, entourée, choyée, sinon je partais... Maman faisait parfois la grasse matinée et je détestais traîner au lit. Encore aujourd'hui, cette agaçante manie reste pour moi liée à la paresse : le seul défaut − avec la stupidité − qui me soit vraiment insupportable.

Je me levais donc très tôt et je sortais subrepticement. J'escaladais les grilles qui entouraient la plantation pour aller croquer des oranges magnifiques. Le Liban a toujours produit les plus beaux fruits du monde, même la Bible chante cette terre si riche, si généreuse. Je prenais tous les risques, je m'éraflais les jambes pour franchir la clôture et dérober les fruits. Mais il y avait Choukri, un garde armé d'un fusil, un gros bonhomme qui surveillait attentivement le domaine. Invariablement il me surprenait et se lançait à ma poursuite en m'insultant... Seulement je courais bien plus vite que le gros Choukri, je grimpais sans bruit dans les arbres, comme une chatte, et j'attendais un moment favorable pour m'échapper sans me faire remarquer de l'intraitable cerbère.

Combien de fois ma mère est-elle devenue folle, me cherchant partout, alors que j'étais cachée dans un oranger à quelques pas de la maison ! Combien de fois mes oncles, aidés de la police accompagnée de chiens, sont-ils partis à ma recherche ! J'exaspérais tout le monde. Pourtant, je voulais seulement offrir à ma mère quelques-unes de ces oranges ou de ces mandarines énormes dont elle raffolait.

Ces escapades témoignaient sans doute de ma soif de liberté, mais aussi de ce besoin d'amour qui me taraudait et s'exprimait par ces fruits que je rapportais à la maison pour me faire aimer encore un peu plus. Mais je n'étais jamais satisfaite : l'amour de ma mère n'était jamais aussi intense que je l'aurais souhaité.

Quand je revenais au bercail, les jambes ensanglantées par les grillages, maman se désespérait.

— Je n'ai qu'un seul garçon, c'est Mouna ! disait-elle.

Ce qui ne faisait pas plaisir à mon frère, enfant très calme et très posé. Mais ma mère n'avait pas tout à fait tort : je regrettais de ne pas être née garçon, et, aujourd'hui encore, je me prends parfois à rêver d'une vie d'homme... J'avais une allure de gavroche, cheveux très courts, jambes musclées, et une passion pour la bicyclette que j'enfourchais tous les jours comme les gamins du quartier.

En raison de ma force physique, un peu masculine, j'avais compris en quoi les hommes pouvaient être supérieurs, vérité plus évidente encore dans notre société libanaise où ils sont toujours aux commandes. À la bagarre, je battais les garçons, physiquement et mentalement. Pour défendre mes sœurs, mes cousines et même mon frère, je n'hésitais pas à m'en prendre aux petits voyous qui les embêtaient. Je les mettais en fuite sans grand effort, ce qui ne cessait d'étonner tout le monde. Je voulais vivre et agir comme les garçons, faire du sport, me dépenser, et je ne comprenais pas pourquoi les femmes étaient considérées avec un tel mépris, pourquoi elles étaient sempiternellement cantonnées aux tâches ménagères. Très tôt, je me suis rendu compte de cette injustice de la société libanaise.

Cette année-là, celle du retour de mes parents, j'ai reçu pour Noël ma première robe, un chapeau, des chaussures et de longues chaussettes rouges. J'étais furieuse et déçue, je rêvais d'une bicyclette, la mienne étant en morceaux et irréparable. La passion des toilettes ne m'a pas encore atteinte...

Les sociétés dans lesquelles nous vivons — dans les pays arabes mais aussi en Occident — ont bien du mal à faire de la femme l'égale de l'homme. En France même, les femmes ne sont-elles pas contraintes souvent de n'exercer que de petits métiers ? Et lorsqu'elles réussissent, ne sont-elles pas généralement sous-payées ? Ne souffrent-elles pas d'une éternelle et inégale compétition ?

Cela dit, je ne suis pas une pasionaria de la cause des femmes, le féminisme militant m'intéresse moins que mon féminisme quotidien. Quand je me lève le matin, je me regarde, je vois une femme et je me répète : «Je ne serai jamais humiliée par un homme.»

La plupart des problèmes de ma vie ont été causés par des hommes : mon père, les maris de mes tantes, mon mari plus tard. J'enrageais quand mon père refusait de donner de l'argent à ma mère pour qu'elle s'achète un vêtement et je pleurais toute la nuit quand il ne voulait pas m'offrir le ballon que je désirais tant...

Il faut dire que mon père ne m'a pas donné le meilleur exemple de l'entente conjugale et de l'équilibre matrimonial : il était extrêmement beau et il aimait les femmes. Ma mère, qui avait décidé de s'installer au Liban pour réunir la famille, s'est retrouvée avec un play-boy qui couchait avec toutes les dames de notre immeuble ! Il avait de nombreuses maîtresses, Joséphine, Jacqueline ; il y en avait même une qui s'appelait Mouna et les gens murmuraient qu'il m'avait donné ce prénom par amour pour elle... En plus, mon père jouait beaucoup, au casino et même à la maison où il organisait d'interminables parties de poker au cours desquelles il perdait énormément d'argent. Ma mère travaillait d'un côté, il dilapidait des sommes folles de l'autre. Maman a beaucoup souffert de cette vie et des scènes de ménage dramatiques éclataient sans cesse entre mes parents.

Mes sœurs et moi avons été placées en tant qu'externes dans une école de religieuses près de chez nous, chez les Saints-Cœurs, une congrégation jésuite venue éduquer les petites Libanaises après la Seconde Guerre mondiale. Mon père était catholique, ma mère était de confession grecque orthodoxe, aussi Farida, ma grand-mère maternelle, nous emmenait-elle souvent le dimanche à l'église orthodoxe et Victoire, ma grand-mère paternelle, à l'église catholique. Moi, je ne m'y retrouvais pas et je ne comprenais rien, ni à la messe orthodoxe ni à la messe catholique.

Plus tard, à l'école, j'ai percé un peu mieux les mystères de la foi, pourtant dans ma tête la religion n'existait pas vraiment. Je croyais en Dieu, certes, mais le reste ne comptait pas, ni les cantiques, ni les prières, ni les contritions... Cette attitude irritait les religieuses de l'institution : en catéchisme, j'avais de très bonnes notes, mais au fond elles sentaient bien que tout cela ne m'intéressait pas. La messe m'ennuyait, c'était trop long, toujours très tôt le matin, j'avais faim, j'avais froid, et cela se répétait tous les jours, tous les jours... Le plus souvent j'essayais de ne pas y aller, ou je bâillais pendant l'office, ou je chantais toute seule.

Je me souviens aussi des visites que nous rendions à grand-mère Farida qui habitait, à Beyrouth, une petite maison située face aux camps palestiniens. Atmosphère lourde et prudence de rigueur. Nous avions interdiction de sortir à la nuit tombée : les enfants palestiniens étaient armés et la moindre bagarre risquait de dégénérer en tuerie. Le dimanche des Rameaux, je venais chez ma grand-mère avec une branche d'olivier et je la plantais dans son jardin. Mes arbres poussaient car je les entretenais avec passion.

Mais mes grands moments de bonheur, c'était lorsque j'accompagnais maman à l'atelier de couture de Sid El Bauchrié, tenu par Madame Juliette, une couturière française. Quatre fois par an, à chaque nouvelle saison, ma mère allait se faire confectionner un tailleur ou une robe, et se tenir au courant des nouveautés. J'adorais ces moments où nous touchions le tissu qui arrivait de Paris et admirions les croquis des dernières créations. Instants bénis où maman commandait ses toilettes, m'apprenait, s'occupait de moi, me prenait sur ses genoux, tandis que Madame Juliette m'offrait du chocolat... Les essayages étaient entrecoupés de nombreuses pauses thé et de discussions sur les dernières tendances parisiennes que ma mère et Madame Juliette commentaient en tournant les pages de *Vogue* ou de *Burda*.

Ces deux femmes étaient obsédées par la mode parisienne et toutes les occasions leur étaient bonnes pour développer leur science du vêtement. Il y avait un marché de frusques d'occasion qui arrivaient de France une ou deux fois par an ; elles s'y rendaient ensemble pour rafler les plus belles pièces, mais ce n'était pas pour les porter : elles les décousaient, les dépeçaient, étudiaient méticuleusement la manière dont elles étaient faites afin d'être capables de les reproduire. Que ma mère était belle, habillée de ses tailleurs ou de ses robes en mousseline, souvent copiés de grands créateurs ! Au Liban, copier n'était pas un crime et maman avait la passion des tissus et de la *fashion* signés Chanel. J'ignorais que Chanel était une vraie personne, vivante, mais je savais que tout venait de Paris et que Chanel était la marque phare de ce monde de l'élégance et du bon goût. J'étais fière de ma mère et fière de l'accompagner dans ses essayages. J'avais sept ans et je commençais déjà à m'intéresser aux magazines de mode où l'on admirait de très belles femmes parfaitement vêtues, impeccablement maquillées, mais qui ressemblaient à des poupées. Ma mère, elle, se maquillait très peu, et d'une manière très subtile. Je la revois à l'église, entourée de ses sœurs. Elle portait toujours des gants et un chapeau, se tenait droite et il me semblait que l'on ne voyait qu'elle.

Chez Madame Juliette, j'ai appris à fabriquer des vêtements de poupée, à trier des centaines de boutons anciens achetés sur les marchés, à enfiler des aiguilles et à faire des boutonnières. Ma faculté de découvrir puis de modifier le détail d'un patron étonnait Juliette. Je crois aussi qu'elle appréciait ma capacité de distinguer l'original de la copie et de faire la différence entre la bonne et la mauvaise qualité. Souvent, lorsque ma mère était occupée, j'allais chez Madame Juliette pour « apprendre » la mode parisienne. Elle me montrait des croquis, des photos et me citait des noms que je ne connaissais pas : Dior, Paquin, Schiaparelli, Vionnet, Saint Laurent. Cela me faisait rêver. Un jour, elle me montra une photo de Coco Chanel – ainsi donc, elle existait en chair et en os –, et je fus frappée par sa ressemblance avec ma mère. Toutes les deux étaient brunes, avec des yeux foncés qui vous regardaient droit, comme pour déshabiller votre âme.

Dans un temps où le prêt-à-porter commençait seulement à se répandre, la passion de ma mère pour le vêtement était infiniment plus signifiante qu'aujourd'hui. De nos jours, les femmes sont en jeans la plupart du temps, mais en ces années-là s'habiller avait un sens, c'était une expression. Les femmes se révélaient dans leur manière de se vêtir.

À cette époque, je devais avoir huit ou neuf ans, maman aimait beaucoup une griffe de prêt-à-porter qui existe toujours, Maxi Librati. La fête des Mères arriva et je n'avais pas d'argent pour lui offrir un cadeau. Or, lorsque je sortais toute seule, quand je courais dans la forêt, je furetais toujours par terre à la recherche de quelque chose. Toute ma vie, à force de regarder, de scruter, j'ai mis la main sur d'innombrables petits trésors, de la monnaie, des sacs... Quand on observe, on trouve. J'ai encore aujourd'hui une tirelire pleine de pièces ramassées dans la rue et qui me portent bonheur. Cette année-là, une semaine avant la fête des Mères, j'ai découvert un portefeuille ! Je m'en souviens comme si je l'avais encore entre mes mains : il était en cuir noir, très beau. Je l'ouvris. Il contenait une grosse somme d'argent et une carte d'identité. J'étais tellement heureuse d'avoir trouvé cet argent, j'allais pouvoir offrir quelque chose à ma mère !

J'ai déposé le portefeuille et les papiers dans la boîte aux lettres du commissariat et, avec l'argent, je suis allée avec une cousine, qui avait dix-huit ans, au quartier Clemenceau de Beyrouth, où était située la boutique Maxi Librati, acheter un tailleur pour maman. J'étais si jeune que la vendeuse m'a soupçonnée d'avoir volé les billets, elle exigeait des explications... Je lui ai raconté que, pour cette fête des Mères, je sacrifiais le montant de deux années d'économies.

J'ai choisi un superbe tailleur, je l'ai fait mettre dans une boîte et je l'ai envoyé à maman avec une carte signée : « De la part de votre admirateur secret... ». Toute sa vie, elle a cru qu'un homme, quelque part, était amoureux d'elle ! Alors qu'elle avait tant de problèmes avec mon père, ce cadeau mystérieux fut comme un soleil dans son existence. D'une certaine manière, c'est vrai, j'avais trouvé cet argent, il ne m'appartenait pas, mais quelle importance puisque ce larcin lui a payé un peu de bonheur ! Dans les moments les plus difficiles, elle pouvait se dire que, si son mari restait volage, un inconnu quelque part était épris d'elle. Elle n'a jamais su la vérité et je ne l'ai jamais dite à mes sœurs. Je la confesse aujourd'hui pour qu'elles sachent à quel point le bonheur de maman comptait pour moi.

Toute ma vie j'ai tenté, avec l'argent que je possédais, d'apporter un peu de bien-être aux autres. Si l'argent m'intéresse pour moi, il m'importe plus encore de faire plaisir à mon entourage, à ceux que j'aime, à ma mère jadis, à mes enfants aujourd'hui, à mes sœurs, mon frère et mes amis intimes, à l'homme que j'aimerai peut-être, de nouveau, un jour. Chaque fois que j'ai eu ou fait de l'argent, j'ai toujours voulu que les autres en profitent.

J'étais l'enfant chérie de ma mère, celle en qui elle plaçait toute sa confiance. Elle m'encourageait, me répétant sans cesse que je représentais l'espoir de la famille, que je serais un jour l'une des filles les plus brillantes du Liban.

Dans cette famille, il est vrai, les éléments forts et stables étaient les femmes. Ma grand-mère avait élevé ses quatorze enfants toute seule, ma mère avait acquis une formation d'infirmière, sa sœur aînée était devenue cuisinière dans un petit hôpital de Beyrouth. Chez nous, les femmes prenaient tout en charge. Qui devait assumer, tenir la tribu ? Les femmes ! Hommage ou dérision, on les appelait « les abeilles ». Moi, je les regardais s'agiter et je trouvais fascinant que, dans ce pays où elles étaient si mal considérées, elles travaillent sans relâche pendant que les hommes buvaient, jouaient, commettaient l'adultère et dépensaient l'argent du ménage... C'était à nous de nettoyer, de cuisiner, je devais marcher deux kilomètres tous les jours pour aller chercher le pain, tandis que mon frère, le roi de la famille, ne pouvait être dérangé sous aucun prétexte !

Si pour les femmes tous les plaisirs étaient interdits, pour les hommes, en revanche, tout était permis. Dans le Liban de ma jeunesse, il y avait un nombre incalculable de cabarets, des cabarets bourrés d'hommes, et s'il y avait des femmes là-bas, elles étaient égyptiennes, marocaines ou françaises. Les hommes vivaient dans la décadence totale et les Libanaises souffraient, malheureuses d'être trompées par leurs maris trop oisifs.

Dans notre famille, chaque femme a joué un rôle primordial et ce sont elles qui m'ont appris à lutter, à exister, à m'exprimer. Mon rôle aussi était important, même si l'on me considérait un peu comme une marginale. Au moment où elles avaient besoin de moi, elles savaient que les choses allaient être faites et bien faites : toute petite, j'étais déjà perfectionniste jusqu'au bout des ongles.

Pourtant, je n'étais pas une enfant facile ; j'étais têtue, j'entrais dans des colères terribles, mais froides, contre mon père qui faisait tant pleurer maman. Je savais que les relations entre mes parents étaient plutôt tendues et j'en voulais terriblement à mon père. En sa présence, enfoncée dans le silence, je devenais un jeune animal traqué, et révolté. Quand il n'était pas là, en revanche, je me révélais toute différente : plutôt rigolote, je dansais, je chantais, je me faisais volubile. Mais au fond de moi, j'étais totalement déprimée, profondément blessée, vraiment malade quelque part à cause de ce père. J'avais des sautes d'humeur, je passais d'une joie incontrôlable à une tristesse insondable. Et à l'époque, la psychanalyse était balbutiante au Liban. M'aurait-elle aidée ?

Rapidement, j'ai développé un sentiment d'amour intense pour ma mère et un sentiment de haine aussi intense pour mon père. Je ne voulais plus les voir ensemble ! Contrairement à tous les enfants du monde qui souhaitent, malgré tout, que papa et maman restent unis, je désirais secrètement que ma mère quitte mon père, parce que je le détestais et le méprisais. Je suis certaine qu'il s'en rendait compte, je refusais même de lui parler ! J'étais brillante à l'école, je revenais avec des notes extraordinaires, mais je ne voulais jamais partager ma fierté avec lui. D'ailleurs, quand il s'adressait à moi, je lui tournais le dos, carrément. Un peu dépité, il disait à tout le monde :

— Je ne sais pas ce qu'elle a, cette petite, elle refuse de me parler. C'est comme si je n'étais pas son père...

Un jour, exaspérée, je me suis retournée et j'ai répliqué :

— En effet, peut-être tu n'es pas mon père !

Mais au fond, dans la famille, je suis la seule à lui ressembler physiquement !

Un jour, alors qu'à l'école on venait de nous apprendre la différence entre Dieu et Diable, j'ai dessiné sur le beau mur fraîchement peint de notre immeuble des diables rouges avec des cornes, une queue fourchue, et j'ai écrit en lettres énormes « Papa, papa »... Même maman s'est fâchée contre moi, elle m'a reproché durement d'avoir ainsi insulté l'auteur de mes jours. J'ai répondu tout simplement :

— C'est ce que je pense de mon papa...

Comme pénitence, on m'a obligée à repeindre le mur.

Mais deux semaines plus tard, nous avons appris la signification du drapeau libanais : le rouge pour le sang de la guerre d'indépendance, le blanc pour la paix et le cèdre comme symbole du pays. Je suis revenue à la maison et j'ai trouvé mon père en train de se préparer pour une partie de poker. J'avais horreur des gens qui venaient jouer avec lui, je détestais tous ces hommes qui puaient, qui fumaient, qui s'esclaffaient bruyamment... Je me suis réveillée en pleine nuit, et sur ce mur que je venais de repeindre en blanc, j'ai écrit en rouge vif à la craie : « Danger, danger, danger, la mort, la mort, la mort pour tous ceux qui jouent. » Au petit matin, les hommes sont sortis, leur partie terminée, et ils ont vu ce mur rouge, couleur du sang et du péril... J'ai été punie de nouveau. Par la suite, pendant fort longtemps, je n'ai jamais porté de vêtements rouges, cette couleur me paraissait abominable. Encore aujourd'hui ce n'est pas vraiment ma teinte de prédilection.

Une après-midi, je devais avoir neuf ans, rentrant de l'école, je surpris une scène terrifiante. Mon père était debout, face à une femme qui venait de se taillader les veines avec un morceau de verre. Il y avait du sang partout et papa riait. Il riait, devant cette dame désespérée qui avait voulu mourir ! Une vision de cauchemar... J'ai couru chercher ma mère qui se trouvait à son travail au supermarché. Immédiatement, elle est revenue avec moi à la maison, mais au lieu de s'en prendre à mon père, elle a soigné sa rivale avec tout son talent d'infirmière. Et j'assistais, impuissante, effarée, à cette scène horrible. Je voyais ma mère soigner cette désespérée qui avait voulu mettre fin à ses jours, lui faire des pansements aux poignets avant de la conduire à l'hôpital. J'ai compris alors que ma mère était d'une qualité morale exceptionnelle et que mon père ne la méritait pas.

Quand j'y repense aujourd'hui, j'imagine que cette femme et mon père avaient ébauché une histoire d'amour, une impossible liaison. Ils se sont trouvés devant un mur. Lui ne songeait qu'à sa petite personne, et sans doute même pour sa maîtresse n'a-t-il pas voulu faire d'efforts. Ou alors, il ne souhaitait pas vraiment quitter ma mère. Je ne le saurai jamais. Toujours est-il que je n'ai jamais pardonné à mon père. Les enfants ne pardonnent pas.

Deux semaines après ce drame, mes parents ont décidé de repartir pour le Koweït et de nous placer une nouvelle fois en pension. Ils ont sans doute pensé que l'émigration était pour eux la meilleure solution, la possibilité de se retrouver un peu, de s'éloigner d'une vie qui les détruisait.

Lorsqu'ils m'ont annoncé leur prochain départ, j'ai pleuré toutes les larmes de mon corps. Je me suis couchée et j'ai dormi deux jours de suite. J'étais brisée. Chaque fois que l'on venait me réveiller, je craignais d'ouvrir les yeux et de ne plus trouver ma mère à mon côté. Je savais qu'elle allait partir, que je n'allais plus la revoir pendant toute une année. Je ne pouvais plus me lever, c'était horrible, jamais je n'oublierai ces journées de désespoir et ce lit où je me suis blottie pour sangloter toute seule. C'était comme si un rideau noir s'était abaissé sur ma vie. Je ne pouvais plus être heureuse.

Mes parents nous ont laissés quelques semaines à la garde de ma grand-mère, mais je savais que j'allais être interne à nouveau. Chaque nuit je rêvais de la bonne sœur qui m'avait tant battue. Ce cauchemar m'a poursuivie de longues années. Je me voyais dans une cage portée en procession par des religieuses, j'étais comme un pauvre animal qui saignait de partout. J'apercevais un immeuble blanc moderne et je le regardais avec attention, car ma mère allait en sortir. Et le rêve s'arrêtait là. Parfois, il y avait quelques variantes, je voyais d'autres cages près de la mienne, j'y découvrais mon frère et mes sœurs ou des gens que je connaissais, et toutes ces cages avançaient, portées par les religieuses comme dans un exode... Cet immeuble blanc d'où ma mère devait surgir représentait sans doute le Koweït, symbole de modernisme et de richesses.

Finalement, notre grand-mère nous a emmenés dans un pensionnat des Saints-Cœurs à Bikfaya, dans une région montagneuse à majorité chrétienne. Les sœurs étaient vêtues d'une robe noire, les cheveux couverts d'un simple voile et d'une cornette blanche. Elles portaient aux pieds des souliers de soldats allemands avec d'épaisses semelles.

C'est là que j'ai passé mon adolescence jusqu'à l'âge de seize ans. Pendant tout ce temps, mes parents étaient au Koweït, continuant à travailler et à gagner de l'argent. J'étais, je pense, une enfant très douée pour les études, surtout les mathématiques, l'histoire, les langues, la grammaire... toutes les matières difficiles. Mais j'étais quand même quelqu'un de différent, plongée dans des moments de tristesse infinie, et ma mère me manquait terriblement. Plus de maman, ni de Madame Juliette, ni de Chanel, ni de croquis. Je souffrais car tout me manquait, surtout ma mère, le son de sa voix, son élégance, son parfum et ses longs essayages.

Heureusement, nous retrouvions maman tous les étés. Nous prenions la voiture avec grand-mère Farida et nous traversions le désert durant trois jours, par la Syrie et l'Irak, pour venir passer nos vacances avec elle. Mais elle travaillait à l'hôpital et ne pouvait s'occuper de nous comme elle l'aurait voulu. Souvent, j'insistais tant qu'elle acceptait de m'emmener pour ses gardes de nuit... Tant de fois j'ai vu des bébés malades dans ses bras, mais j'étais heureuse, collée à ses jupes après neuf mois de séparation atroce. Pour moi, cette mère vêtue de blanc qui se penchait sur les enfants mourants était une sainte – *ma* sainte. Privée d'elle trop longtemps, je ne me lassais pas d'embrasser ses mains, ses bras, son cou...

Ma mère m'a manqué durant toute mon enfance et c'est pourquoi j'ai toujours ressenti un immense besoin d'affection. J'ai souffert d'une absence, d'un vide qu'aucun homme ne pourra jamais combler. J'ai compensé ce vide en essayant de donner à mes enfants tout l'amour du monde. Mais aujourd'hui, ils ont grandi pour la plupart, je ne peux pas les voir comme je le souhaiterais, un jour ils partiront vers leur destin. Et là, j'ignore comment je vivrai ma vie sentimentale, de quelle façon je m'occuperai de cette partie de mon cœur.

Ce pensionnat de Bikfaya qui m'avait fait si peur au départ m'a sauvée de la dépression. D'abord, j'étais avec mon frère et mes sœurs – la plus âgée avait dix ans, la petite dernière quatre seulement –, et nous formions une famille soudée, solidaire. Ensuite, les bonnes sœurs étaient très affectueuses, à l'exception d'une seule qui se montrait épouvantable avec ma petite sœur Samia, mais nous étions tous là pour la défendre et la protéger.

Chez ces religieuses, j'ai connu un peu la gloire. Comme j'étais très bonne élève et que je rapportais des prix de littérature, de dissertation, de mathématiques, comme j'étais physiquement assez résistante et que j'obtenais également des premiers prix en matière sportive, j'étais devenue une petite star. J'ai adoré mon école, tandis que mes deux sœurs l'ont détestée, et c'était pourtant la même ! Le système jésuite est ainsi : vous réussissez, on vous vénère ; vous échouez, on vous méprise.

Ma sœur aînée n'a pas terminé ses études, elle s'est mariée à quinze ans puis est partie vivre au Koweït. Cette union m'a tellement choquée, Sonia était si jeune ! J'avais treize ans, j'étais devant l'autel, je portais une robe mauve, ma sœur et moi avions l'air toutes les deux absolument ridicules. J'ai toujours considéré cette cérémonie comme quelque chose de criminel : je savais que Sonia ne désirait pas se marier si vite. Et c'est uniquement maintenant, après avoir divorcé à l'âge de quarante-cinq ans, qu'elle a osé me dire qu'elle n'avait effectivement jamais voulu de ces épousailles, mais que les conventions et les familles lui avaient forcé la main.

Nous étions dans une région chrétienne, ce qui ne m'empêchait pas d'avoir de nombreuses camarades musulmanes, des filles dont les parents travaillaient au Koweït, en Arabie Saoudite ou en Égypte et avaient placé leurs enfants chez nous. Certaines familles musulmanes comprenaient l'importance de l'éducation et envoyaient leurs enfants dans les écoles chrétiennes où ils pouvaient suivre de brillantes études. Ma meilleure amie, Randa, était musulmane et nous étions perpétuellement en compétition pour la première place ! C'était parfois elle, parfois moi. Et la différence de culture comme de religion n'entravait nullement notre relation. De sorte que, plus tard, quand j'ai décidé de plonger par amour dans le monde de l'Islam, je n'ai ressenti aucune inquiétude...

II

LA CLÉ DES CHAMPS

Au fur et à mesure que je grandissais, le régime très strict de l'école me pesait. Comme toutes les filles de mon âge, je voulais voir des garçons, sortir le dimanche, danser, respirer un peu l'air de la liberté. Malheureusement, tout cela nous était absolument interdit.

Des garçons, on en voyait pourtant, une fois par mois, à la messe maronite. Car si les offices de l'école des filles se déroulaient toujours selon le rite catholique romain, nous devions aussi nous rendre régulièrement à l'école des garçons pour assister à la vieille liturgie chantée en langue syriaque, encore en usage dans l'église maronite, et à laquelle je ne comprenais rien.

Mais enfin, nous pouvions apercevoir des « hommes », ce qui terrifiait nos bonnes sœurs. Je me souviens d'une religieuse, sœur Marie-de-la-Croix, qui nous tenait comme en laisse : aussitôt après la prière, il fallait rapidement retourner à l'école, sans échanger un regard avec les petits camarades d'en face, sans leur adresser la moindre parole.

Pourtant, j'avais un soupirant clandestin qui me courtisait assidûment. Il s'appelait Mahmoud, je l'avais rencontré durant les vacances et, à l'entendre, il était tombé fou amoureux de moi. Il venait aux abords de l'école tous les week-ends avec sa voiture, se garait sous la fenêtre du dortoir et m'appelait. Il restait ainsi parfois des nuits entières à attendre un signe de moi. Il n'était pas question de sortir et je devais me contenter de lui jeter quelques petits billets griffonnés.

Pour tout compliquer, Mahmoud était musulman et je devais garder cette idylle totalement secrète car ma famille aurait été effarée si elle avait découvert notre petit jeu. Mais nous étions si jeunes ! Au cours de nos brefs apartés, j'expliquais à mon soupirant qu'étant de religions différentes et issus de familles très conservatrices, nous ne pourrions jamais nous marier. Et puis l'amour me faisait affreusement peur. J'avais vu ma mère souffrir, j'avais assisté aux relations épineuses entre mes parents et tout cela m'effrayait. Je sentais bien que j'avais un réel sentiment pour Mahmoud, je savais que lui-même était très épris de moi, mais je me méfiais. Les relations avec le sexe opposé me terrorisaient. Pour m'en préserver, je me rendais laide et je me montrais désagréable, je me tirais les cheveux en arrière, je me faisais brusque avec mon soupirant, je tentais de tuer dans l'œuf notre amour naissant. À cause de mon père, j'étais persuadée que tous les hommes étaient durs et cruels, je ne voulais rien avoir à faire avec la gent masculine. En faisant preuve d'un tel état d'esprit, on ne s'amuse pas vraiment... Et puis les études étaient très importantes pour moi. Il fallait que j'offre à ma mère des notes dignes d'elle.

Malgré Mahmoud, malgré les cours, je pensais aussi à l'argent. Oui, déjà ! L'argent a toujours été un objectif pour moi parce qu'il fait la vie plus belle, parce qu'il procure, à défaut du bonheur, la liberté. J'aimais aussi le jeu fait d'idées et de subtilités qui consiste à générer des bénéfices. Et, déjà à l'école, j'ai trouvé un moyen de réunir un petit pécule. Mes copines avaient quinze, seize et même dix-sept ans, elles rêvaient toutes de sortir avec des garçons, mais elles n'en avaient pas l'autorisation. J'allais vite trouver un moyen de satisfaire une « clientèle » aisée, avide d'évasion.

Dans notre école se trouvaient des filles de familles pauvres qui s'occupaient du nettoyage et recevaient en échange la même éducation que la nôtre. Elles suivaient les classes avec nous, mais à la fin des cours, les malheureuses devaient faire le ménage. Or, j'étais devenue l'amie de Raymonde, l'une de ces petites femmes de chambre. Pour accomplir sa tâche ancillaire, elle détenait toutes les clés de l'établissement. Je suis allée la voir en affichant l'air le plus innocent possible.

— Écoute, lui ai-je dit, j'ai besoin des clés. Est-ce que je peux te les emprunter ?

— Mais pourquoi ?

J'ai répondu vaguement que, pour mener à bien un projet scolaire, il me fallait dessiner des clés.

Sans trop se méfier, elle m'a prêté son trousseau. Subrepticement, j'ai ouvert l'énorme porte noire du couvent et je suis sortie. Je savais que le cordonnier, non loin, était aussi serrurier. Je lui ai présenté la clé qui m'avait permis de m'échapper et je lui ai annoncé sur un ton bien assuré :

— On a absolument besoin d'un double.

Il m'a demandé la raison de ce besoin, j'ai soulevé les épaules, affectant une mine indifférente.

— Je ne sais pas, la religieuse veut cette clé...

J'ai attendu et obtenu le double de la précieuse clé. Je suis revenue l'essayer, tout allait bien... Une heure plus tard, je pouvais rendre son trousseau à Raymonde. Elle était intriguée :

— Mais qu'est-ce que tu as fait avec ces clés ?

— Rien, je t'assure, je devais seulement les dessiner...

Munie désormais de ce sésame, je pouvais m'échapper le samedi soir avec Mahmoud, et si, en semaine, je ne sortais pas, je pouvais organiser mon petit business ! J'acceptais d'ouvrir la porte et de monter la garde pour les pensionnaires, mais en retour d'un paiement qui variait de une à dix livres libanaises selon les cas et les heures. Je pouvais ouvrir la porte et c'était le bonheur de toutes les filles qui voulaient s'échapper quelques heures avec leur bon ami... J'ai ainsi amassé une petite fortune !

Pendant deux ans, ce fut mon job de nuit. J'avais tout prévu, tout planifié : je m'installais près de la porte sur un matelas et, couverte d'un manteau, une pile de livres à côté de moi, je faisais mes devoirs en attendant le retour de mes protégées.

Il m'arrivait aussi de sortir avec elles et j'adorais ces brèves escapades. Ces filles avaient toutes des copains riches qui venaient les chercher en superbes voitures, des BMW, des Porsche. J'étais heureuse, j'étais curieuse, déjà je voulais dévorer la vie. Je faisais un petit tour avec certaines de mes camarades, puis il fallait me ramener : j'étais la gardienne, je devais être présente, fidèle à mon poste pour leur ouvrir la porte lorsqu'elles revenaient par groupes épars.

La règle absolue était de regagner l'école avant quatre heures du matin. Au-delà, le risque devenait trop important : à cinq heures, le facteur arrivait avec le courrier et les élèves commençaient à se préparer pour la messe.

Hélas, un soir une des filles n'a pas observé la consigne. De sorte que non seulement je fus en retard pour la messe, mais le facteur entrevit la fille au moment où elle rentrait... et ce fut la fin de ma petite affaire. Le facteur décrivit la pensionnaire fugueuse : pas très grande, de longs cheveux noirs...

Ils ont cru que c'était moi, soupçon bien naturel puisque j'étais l'éternelle rebelle. J'étais furieuse d'être mise en cause à tort. Sur le fond, j'étais coupable, certes, mais cette nuit-là, je n'étais pas sortie ! Cette accusation injustifiée m'a ulcérée, j'ai pris la fuite et suis allée me réfugier dans le cimetière du village, me nourissant d'une fleur acide qu'on appelait en libanais « houmaïda ». C'était un immense cimetière, très beau, très paisible, entre les tombes poussaient des arbustes et des coquelicots. Durant deux jours et deux nuits, ils m'ont cherchée partout avec l'aide de la police... Ma sœur, qui savait que j'aimais errer parmi les tombes, a finalement révélé aux religieuses où je m'étais cachée.

Samia n'ignorait pas, en effet, que j'allais parfois parler aux morts. Je pensais que les défunts pouvaient être, en quelque sorte, des intermédiaires entre Dieu et nous, une manière de connexion directe. Ma sœur ne comprenait pas cette étrange manie :

— Tu ne les connais même pas, ces morts ! me disait-elle souvent.

— C'est vrai, mais eux certainement me connaissent, puisqu'ils me voient de là-haut. Ils peuvent peut-être parler à Dieu pour moi...

Fait étrange, quand plus tard j'ai lu la biographie de Coco Chanel par Paul Morand, j'ai appris qu'elle agissait de la même manière...

Les bonnes sœurs sont donc venues me chercher au cimetière et ont cru bon de m'enfermer à l'infirmerie. Mais je n'étais pas malade, je n'étais pas folle, j'étais tout simplement en colère. Elles ont prévenu ma mère et tout a été révélé : mon commerce et ma relation avec Mahmoud. Ma mère était furieuse. Elle a décidé de me retirer de l'école et de revenir au Liban, sans doute pour mieux me surveiller.

Une nouvelle fois, maman a donc quitté le Koweït pour venir s'occuper de nous. Elle ne travaillait plus et se consacrait entièrement aux trois enfants qui restaient près d'elle, Sonia étant déjà mariée. Papa était resté là-bas, et ce fut la seule période où nous avons formé une véritable famille, unie et harmonieuse. Jusque-là, notre enfance avait été un peu bousculée avec ce père frivole et si peu attentif, avec cette mère très douce et affreusement malheureuse, avec nos séparations, nos retrouvailles, nos nouvelles séparations...

Nous nous sommes installés dans une maison charmante de Jounieh, sur les bords de mer au nord de Beyrouth. Jounieh est maintenant une grande ville, mais en ce temps-là ce n'était qu'un village ouvert sur une baie sublime plantée de vieilles maisons basses aux toits de tuiles. Il y avait quelques rares magasins, de nombreux marchands de glaces, des plages publiques et quelques plages privées dont nous avons vite fait notre fief.

Non loin de là s'élevait le Casino du Liban, une belle et vaste construction qui donnait sur la mer, avec un restaurant et une salle de spectacles. Maman nous avait interdit de nous en approcher, mais l'appel était irrésistible. Avec mon frère et ma sœur nous allions parfois, le soir, observer en cachette les riches clients de l'endroit, si élégants ! Il y avait toujours un monde fou, très distingué, et les dames portaient des fourrures même en été. Quel bonheur quand, de notre observatoire discret, nous pouvions entrapercevoir quelque star de passage ! Je me souviens d'avoir vu passer au fil des soirées le shah d'Iran et l'impératrice Soraya, Alain Delon, Mireille Mathieu, Michel Sardou, et bien d'autres.

Désormais nous étions externes, toujours dans une école jésuite des Saints-Cœurs. L'uniforme était de rigueur : jupe bleu marine avec col dur blanc et une chasuble beige par-dessus. Ce n'était vraiment pas très seyant et je refusais de me promener dans cette tenue grotesque. En quittant la maison, je ne portais jamais l'affreuse chasuble, je remontais ma jupe pour la raccourcir et montrer mes jambes, je mettais parfois des chaussures à talons hauts et je ne me changeais qu'à l'instant d'entrer en classe. J'adaptais ma tenue à mes envies et à la saison. Par exemple, il était formellement interdit de porter des mules dans l'enceinte de l'école. Mais, par grosse chaleur, pas question pour moi de me promener avec les chaussettes et les chaussures réglementaires. Quitte à être punie, j'arrivais avec mes savates légères et je me faisais couler de l'eau froide sur les pieds. Les religieuses étaient scandalisées !

Je venais d'avoir quinze ans et je me rendais compte que j'allais devenir une femme à part. Ni mieux ni moins bien que les autres, simplement décalée. Je comprenais que mon évolution personnelle n'était pas en harmonie avec la société libanaise qui m'entourait. Je me développais vraiment comme quelqu'un d'extérieur à la culture du lieu.

Mes amies m'aimaient beaucoup mais elles avaient un peu peur de moi. J'étais trop libérée dans mes idées, trop agressive dans mes propos. Je n'en étais pas moins la meneuse de toutes ces filles qui n'osaient pas s'exprimer.

Marginale en tout, j'avais décidé définitivement de ne plus assister à la messe quotidienne. Devenue externe, je m'étais juré de déserter les offices religieux. Après des années de pensionnat, j'en avais assez de m'ennuyer tous les jours durant ce rituel interminable. À l'heure de la messe, je sautais par-dessus le mur de l'école, je prenais la fuite et j'allais déguster une glace, manger un sandwich ou fumer une cigarette ! Lorsque la mère supérieure me faisait des reproches, je lui expliquais franchement que je ne supportais pas ces prières incompréhensibles... Aujourd'hui, j'aime les églises, le calme et la sérénité qui s'en dégagent, mais je n'assiste toujours pas aux offices. Je pénètre dans les lieux de recueillement lorsqu'il n'y a personne. Alors, dans un rituel régulier, j'allume un cierge en souvenir de ma mère.

Rebelle et indisciplinée, j'étais néanmoins toujours la première de ma classe. Je représentais donc un phénomène déroutant. J'avais l'impression un peu troublante et déstabilisante d'avoir plusieurs talents ; je ne savais plus très bien qui j'étais, je ne savais pas vers quoi me diriger. Je chantais les solos des chants de Noël, je dessinais les tableaux d'affichage, j'étais la première en dissertation, je savais danser, le théâtre me fascinait et, en sport, j'étais imbattable. Chaque fois qu'il fallait représenter l'école dans une compétition, on faisait appel à moi, que ce soit pour les manifestations sportives, les rencontres littéraires ou artistiques. Position inconfortable, car il me fallait toujours me dépasser, prouver ma valeur.

Je n'étais pourtant ni studieuse ni soumise. Je n'avais pas besoin d'étudier, j'absorbais ce que le professeur disait et cela suffisait, le cours était inscrit une fois pour toutes dans mon esprit. Et après la classe, à l'heure de l'étude, je jouais, je dessinais, je chantais, je dansais.

Si je me montrais secrète sur mes états d'âme, je m'extériorisais par mes tenues. Je m'habillais d'une manière provocante. C'était absurde au fond de la part d'une fille que les hommes terrorisaient. Mais c'était pour moi une façon d'affirmer mon indépendance, ma liberté, mon statut de femme. À l'époque où il ne fallait pas entrer dans une église les bras nus, je m'y rendais pour les fêtes en robe légère. Par pure bravade ! En ces temps où les filles portaient des jupes sobres et ternes, je me mettais en short. L'idée m'était venue de Coco Chanel : elle se permettait de porter des pantalons, alors pourquoi ne pas se balader en short ? Comme pour ma mère, Coco Chanel était mon modèle, mon idéal, et je l'imitais à ma manière. Elle avait porté une blouse d'homme ? Je revêtais une blouse d'homme. Tout ce qu'elle faisait à Paris, je le faisais au Liban, mais en plus brouillon, il faut bien le dire. Je ne cherchais pas encore vraiment l'élégance, mais seulement la provocation.

J'avais dix-sept ans quand je me suis rendue à une soirée à Beyrouth avec un ami, Michel, et mon frère, nue sous une djellaba blanche transparente... Faire cela dans ce pays tenait du scandale ! Marchant sur la route, j'ai causé un embouteillage incroyable. J'ai constaté ainsi ce qu'un habit pouvait exprimer, j'ai perçu ce que l'on pouvait transmettre à travers un style vestimentaire. Le vêtement pouvait donc choquer, vous donner un air de sainte ou de gourgandine, alors que vous n'étiez ni l'une ni l'autre. Je savais désormais qu'il était à la fois une tromperie et un moyen. Je m'y suis réfugiée. Je continuerai, plus tard, de le faire...

Nous étions alors dans les années soixante-dix, les années hippies, et là commença ma véritable histoire d'amour avec la mode. C'était un attachement viscéral, une compréhension profonde. Ce que les gens utilisaient pour se couvrir, tout simplement, moi je m'en servais comme d'une arme. Je passais des heures dans les souks de Beyrouth avec ma mère à chercher une toilette adaptée à ma personnalité, à mon message, même si le mot peut paraître un peu grandiloquent. Et je choisissais toujours, bien sûr, la tenue la plus audacieuse, au grand désespoir de maman.

Pourtant, dans mon esprit, j'étais quelqu'un d'absolument innocent, pas aguicheuse pour deux sous. Ma façon de me vêtir tenait du besoin de m'afficher en tant que jeune fille, de lutter contre ce monde où les femmes étaient reléguées aux tâches fastidieuses, et méprisées, trompées par leurs époux. Mais en réalité, j'étais très farouche. Les hommes, je m'en méfiais, je leur en voulais. Je ne parlais à personne, je faisais ce que j'avais envie de faire mais je n'adressais jamais la parole à la plupart des garçons. Je ne daignais même pas les regarder. Je voulais les provoquer sans qu'ils puissent me toucher, peut-être pour me venger de mon père... Je montrais mes charmes, et mes charmes étaient interdits. Quand les hommes voulaient me faire la cour – et ça arrivait souvent, j'étais assez mignonne quand j'avais dix-sept ans –, je me révélais insolente. Je savais me faire désirer ou répondre avec effronterie. Et pas seulement avec les jeunes, de vieux messieurs mariés aussi osaient m'aborder, ils me dégoûtaient et je leur disais toutes les horreurs du monde.

Sur la plage, j'ai été la première Libanaise à se mettre en bikini ! Des photos de mes fesses ont fait le tour du pays... Je savais désormais que le corps était capable de transmettre un message de rébellion, de provocation ou de séduction. Je savais qu'on pouvait faire des hommes ce qu'on voulait avec ce qu'on avait, c'est à dire bien peu de chose : une étoffe et un corps. Par mon attitude et ma toilette, je voulais faire comprendre aux Libanais que je n'étais pas une mauvaise fille parce que je me mettais en short ou en bikini, que ma robe transparente ne voulait pas dire que je cherchais l'aventure : j'avais quelque chose à leur signifier qui avait plus trait à la liberté qu'à un quelconque érotisme. Sans doute me faisais-je des illusions...

Pourtant, malgré mes extravagances, je sortais rarement. Je vivais retirée, effrayée, je désirais être à l'abri, et j'ai ainsi créé une sorte de mystère autour de moi. Certains ont même pensé à ce moment-là que j'étais peut-être lesbienne. En fait, j'ai toujours eu peur des hommes. J'aime travailler à leurs côtés, mais je suis incapable d'avoir une relation normale avec eux, même si je peux être amoureuse.

Amoureuse... Dans le petit groupe d'amis que nous formions, j'ai connu à cette époque deux garçons, deux passions successives. Pierre, d'abord. Il avait mon âge et il était très séduisant. Son père était français et sa mère libanaise : un mélange qui bien souvent donne des enfants beaux et intelligents. Mais Pierre avait un caractère impossible et je l'ai délaissé pour m'amouracher de Jean-Philippe, qui avait trois ou quatre ans de plus que moi. Si lui m'aimait peut-être, sa mère, en revanche, me haïssait. Je lui faisais peur, j'étais trop moderne à son goût, trop indépendante, pas assez traditionnelle. Avec mon short ou ma minijupe, je n'étais pas la Libanaise typique qu'elle recherchait pour son fils. Étais-je vraiment éprise ? Je crois que je ne savais pas vraiment, à l'époque, ce qu'était l'amour, mais j'étais habitée par une jalousie dévorante. J'étais terriblement jalouse quand une fille approchait de Pierre et montait en croupe sur sa moto. J'étais jalouse de Mireille, que la mère de Jean-Philippe a réussi finalement à lui faire épouser. Si amour veut dire jalousie, alors j'ai aimé ces garçons...

À partir de 1973, nous avons connu au Liban de nombreuses difficultés en raison de la situation qui s'acheminait vers la guerre. Le président de la République, Soleiman Franjié, avait hérité d'une situation politique et militaire aussi instable que dangereuse. Forces libanaises et troupes palestiniennes se mesuraient en des affrontements meurtriers dans les rues de Beyrouth. Dans cette conjoncture particulièrement confuse, les administrations se délitaient et même les banques se trouvaient régulièrement entravées dans leur fonctionnement.

Du Koweït, mon père ne parvenait pas toujours

à nous envoyer des subsides. Durant l'été, nous connaissions des moments extrêmement pénibles. Ma mère n'avait pas les moyens de nous entretenir : je me souviens de notre réfrigérateur vide... J'allais sur la plage du Lagon, à Jounieh, avec mes copains et mes copines, mais une seule idée me préoccupait : comment allais-je pouvoir aider maman à trouver de l'argent ?

Un jour, j'ai observé un homme qui tentait maladroitement de vendre sur la plage des briquets jetables placés dans un étui de cuir tenu par une cordelette à passer autour du cou, la grande mode à l'époque. Peut-être en raison de sa façon de s'y prendre, peut-être à cause de son look, il ne parvenait pas à écouler sa marchandise, et pourtant il n'en demandait pas grand-chose. Je me dis que, si je prenais cette affaire en main, je parviendrais rapidement à la rentabiliser. Mais je n'osais pas aborder le vendeur. Heureusement, c'est lui qui est venu me chercher et m'a demandé si j'étais disposée à l'aider dans la vente de ses briquets...

— Pourquoi moi ? me suis-je étonnée.

— Parce que toi et ton amie Neïla vous êtes les plus belles de la plage... Tout le monde vous regarde. Neïla est amoureuse, elle est donc trop occupée, mais toi tu es toujours seule, tu pourrais peut-être le faire...

— La beauté joue un rôle dans cette histoire ?

— Regarde-moi, ça fait presque un mois que j'essaie de vendre ces briquets et je n'y arrive pas...

— Bon, on va essayer. Combien en voulez-vous ?

— Le briquet est vendu deux livres libanaises.

— Alors je les vendrai quatre livres, deux pour vous, deux pour moi.

Ahuri par une telle audace, Elie, le marchand malheureux m'a néanmoins confié son stock : douze briquets. En dix minutes, j'avais tout vendu. Les messieurs de la plage ne pouvaient rien refuser à une jolie gamine de dix-sept ans ! Je me souviens qu'un client m'en a même acheté cinq d'un coup pour les distribuer à ses copains. Je suis très vite retournée voir mon fournisseur.

— Elie, j'ai tout vendu, qu'est-ce qu'on fait ?

Puisque ce petit commerce avait l'air de si bien démarrer, j'ai prié Elie de m'apporter une cinquantaine de briquets pour le lendemain. Évaluant la demande importante, j'ai modifié les tarifs : je les ai vendus alors à dix livres. Je gagnais ainsi huit livres par briquet et Elie conservait ses deux livres avec lesquelles il devait acheter le matériel et faire son bénéfice. Ce n'était peut-être pas très équitable, mais la force de vente c'était moi et uniquement moi. Mine de rien, je me rendais compte du décalage entre la valeur des objets vendus et celle du marché.

J'ai passé mon été à débiter des briquets. J'avais une technique de vente très au point : je me faisais coquine, aguicheuse, et j'insistais. Ceux qui ne fumaient pas, je leur suggérais de prévoir quelques cadeaux...

Ma mère ne savait rien de tout cela, bien sûr, sinon

elle ne m'aurait jamais laissé faire. Mais à la fin de la saison je lui ai offert tout l'argent gagné. C'est dans ma nature, l'argent m'intéresse jusqu'à un certain point, mais ce qui me passionne surtout, c'est le jeu du commerce. Ma mère n'en croyait pas ses yeux et j'ai dû lui avouer comment j'avais gagné cette somme. Comme la vie était alors difficile, elle n'a rien dit, mais ce n'était vraiment pas le genre de job qu'elle imaginait pour moi.

En tout cas, j'étais certaine d'une chose : je ne désirais pas faire ma vie au Liban. Je voulais aller à Paris, respirer l'air des ateliers de Coco Chanel, suivre les cours de l'école de stylisme.

La guerre allait bientôt brusquer les événements. Le dimanche 13 avril 1975, à Aïn er-Remmaneh, quartier populaire de la banlieue sud de Beyrouth, des coups de feu étaient tirés sur un groupe de Phalangistes chrétiens. On ne saura jamais qui furent les agresseurs. Des Palestiniens ? Un clan maronite rival ? Toujours est-il que peu après, non loin de là, un autocar bondé de fedayin palestiniens tombait dans une embuscade, faisant une trentaine de morts parmi les passagers. Yasser Arafat dénonçait « la sanglante boucherie commise par les bandes armées des Phalanges », et tout le pays s'embrasait pour une guerre de seize ans.

Deux mois plus tard, en juin, je passai mon baccalauréat avec mention. Dans ce climat de guerre civile, on nous avait organisé des examens à la va-vite et j'appartiens à la dernière génération qui a pu obtenir son diplôme avant la fin du conflit. Par la suite, durant de nombreuses années, il n'y a plus eu d'examens au Liban.

Pour ma part, je n'ai connu que le premier été de la guerre. Après le bac, j'ai travaillé, donnant des cours de français dans un petit lycée d'Antélias pour des enfants en difficulté scolaire qui devaient suivre des cours de rattrapage. Un job qui m'amusait : j'avais beaucoup de succès avec mes élèves parce que j'étais jeune et différente, je n'appliquais pas les méthodes des autres institutrices, je ne criais pas, je ne me fâchais pas, et... je ne leur tapais pas sur les doigts ! Autant je me montrais farouche avec les adultes, autant j'étais tendre avec les enfants.

Au cours de cet été, le dernier de ma vie libanaise, j'ai vu aussi des horreurs. À Jounieh, au-dessus d'un ravin très profond, il y a un pont ; en se penchant sur le balustre, on pouvait contempler les atrocités de la guerre : on apercevait en bas des centaines de corps sans vie. Étaient-ce des musulmans ? Des chrétiens ? Impossible de le savoir, ils étaient nus, aucun signe d'appartenance, aucun uniforme. D'où venaient-ils ? Comment avaient-ils été tués ? On ne le savait pas. Ils avaient été jetés dans ce gouffre et voilà tout. Il y a eu tant de morts qui n'ont jamais été identifiés...

L'univers dans lequel j'avais vécu jusque-là

s'écroulait dans une vilaine guerre, effrayante et inexplicable. Je ne comprenais rien à ce qui se passait, tout cela avait éclaté si brusquement. Pour nous les jeunes en tout cas, les raisons du conflit paraissaient obscures.

Petit pays long de deux cents kilomètres seulement, peuplé de moins de trois millions d'habitants, le Liban abritait de multiples communautés dont la coexistence était assurée par un *statu quo* fragile. Maronites, orthodoxes, chiites, sunnites, Druzes vivaient tant bien que mal dans un équilibre précaire. À cette situation déjà complexe, il faut ajouter quatre cent mille Palestiniens dont une partie s'était réfugiée dans le pays en 1970 après avoir été chassée de Jordanie par les troupes du roi Hussein. Le Liban était désormais soumis à des factions rivales et des milices armées prêtes à en découdre. Du côté chrétien, les Phalanges majoritairement maronites de Pierre Gemayel étaient concurrencées par les Tigres, troupes du Parti national libéral de Camille Chamoun. Du côté islamique, les sunnites disposaient de leur propre organisation, les Mourabitouns, tandis que les chiites s'étaient dotés du Amal, structure paramilitaire redoutable. Par ailleurs, les Druzes suivaient leur leader Kamal Joumblatt et son Parti socialiste progressiste. Si la guerre commença comme un affrontement entre l'armée régulière et les combattants palestiniens de l'OLP (Organisation de libération de la Palestine) qui voulaient se tailler un fief au Liban, elle entraîna rapidement tout le pays des cèdres dans une conflagration terrible. Les milices combattantes, les organisations extrémistes, les bandes armées se multiplièrent dans un inextricable imbroglio où se mêlèrent rivalités minoritaires et intérêts étrangers. Chaque groupe, nouant des alliances parfois rapidement renversées, défendait son territoire et cherchait des ressources en ravageant les richesses du pays. À l'extérieur, Israël, la Syrie, l'Iran, mais aussi les États-Unis et la France tentaient de manœuvrer leurs alliés pour imposer leur politique dans une contrée déchirée.

Le début du conflit fut marqué par la destruction systématique du centre de Beyrouth et la division de la ville entre les quartiers chrétiens à l'est et les secteurs essentiellement musulmans à l'ouest. Ces combats furent ponctués par le pillage méthodique de toutes les boutiques puis de toutes les banques de la capitale.

Comme le pays, notre petit groupe d'amis se disloquait. Nous représentions une certaine élite de la culture chrétienne et nous étions devenus la cible des musulmans. Une nuit, alors que trois de nos camarades rentraient de Beyrouth à Bikfaya sur une ancienne route de montagne, du côté de Fanar, les musulmans leur ont tendu une embuscade et les ont froidement découpés à la hache... Tous mes amis restés au Liban sont entrés dans les milices chrétiennes, moi je n'ai pas voulu faire la guerre, j'étais dégoûtée, je voulais partir, quitter ce pays en flammes.

Pour moi, égoïstement, cette guerre a explosé comme une réponse à tout un passé qui me tourmentait, à toutes les questions que je me posais, à toutes les colères que je refrénais. Soudain émergeait une vérité intérieure qui venait me démontrer que je n'étais pas faite pour rester au Liban. Au fond de soi, on sait si un endroit vous convient ou non et quand j'écoutais les nouvelles, quand je lisais les journaux, je constatais qu'il existait un lieu qui s'appelait Paris où les esprits étaient plus ouverts, où l'on pouvait faire des choses, dire des choses, être libre... Je ne pensais plus qu'à la France...

Mon rêve alors était de devenir styliste, de créer des habits, d'inventer la mode. Ma mère y était totalement opposée, elle pensait qu'en ce domaine je n'arriverais jamais à rien. En effet, à l'école j'avais de bonnes notes dans toutes les matières, sauf en dessin ! Je crois que mon « art » était incompréhensible ! Quand on nous disait de faire un portrait, je ne sais par quel acharnement je dessinais toujours un cyclope. Évidemment, tout le monde se moquait de ma croûte. Les railleurs avaient peut-être tort. Récemment, les responsables du centre Georges-Pompidou, auxquels j'ai fait un don à l'occasion des travaux de restauration, m'ont emmenée à Milly-la-Forêt voir *Cyclop*, du sculpteur suisse Jean Tinguely, une œuvre entièrement confectionnée en ferraille de récupération. J'ai eu un choc. Sous mes yeux s'étalait ce que j'avais dessiné durant toute mon enfance. Incroyable... C'était effrayant, j'en avais la chair de poule. Si ma mère avait pu être là, elle aurait compris que mon cyclope de jadis n'était pas aussi ridicule qu'elle le croyait : un artiste avait su, avec son génie propre, donner de la puissance à ce qui avait été chez la gamine que j'étais une esquisse maladroite, une vision à peine ébauchée.

Pour connaître Paris, j'étais prête à toutes les compromissions et j'ai juré à maman d'abandonner mes ambitions de styliste. Je ne voulais pas la décevoir, elle qui avait tellement confiance en moi. Je savais aussi que j'avais un devoir à accomplir envers ma famille, j'étais la seule qui allait pouvoir s'échapper, fuir les combats, faire des études dans un pays de paix.

Car au fond, les membres de cette famille avaient toujours pâti de la guerre. Chaque fois qu'ils arrivaient à gagner un peu d'argent, à recouvrer un peu d'espoir et de quiétude, un conflit éclatait. D'abord, il y avait eu la guerre de Palestine, qui avait obligé ma grand-mère à fuir ses orangeraies. Ensuite, il y eut la guerre de 1958 au Liban, provoquant de grandes difficultés pour tous ceux qui, comme mes parents, espéraient revenir au pays et ont dû prolonger le temps de l'exil. Et puis le jour où tout le monde a pensé respirer un peu, dans les années soixante-dix, la guerre civile a éclaté.

J'ai vécu avec les miens et tous les Libanais des moments de grande détresse. Dieu ou le destin a voulu que je sois la seule personne, parmi mes trente-deux cousins et cousines, à pouvoir partir étudier en

France. En raison du conflit qui s'est prolongé si longtemps, aucun autre n'a pu entamer une formation universitaire à l'époque. Plus tard, j'ai aidé mes proches et particulièrement ceux qui voulaient s'instruire. Deux cousins ont pu immigrer aux États-Unis et sont devenus ingénieurs, un neveu a obtenu un diplôme d'informatique au Canada.

Pour moi, ce fut une autre histoire...

J'ai quitté le Liban au mois d'août 1975. Un taxi est venu me chercher. Le début du voyage fut terrifiant : de Jounieh à Beyrouth, tout au long du littoral chrétien, sur une douzaine de kilomètres, on apercevait des centaines de corps mutilés rejetés par la mer. Une vision d'apocalypse que je n'oublierai jamais. Les vagues vomissaient des corps par brassées, ils étaient noirs et je ne comprenais pas : il n'y a pas de Libanais noirs. Quelqu'un m'a dit que c'étaient des Libyens venus soutenir les musulmans dans leur guerre contre les chrétiens. Notre armée était assez forte au début et parfaitement équipée, mais longtemps elle est restée neutre. Alors, les musulmans hostiles aux chrétiens, les Mourabitouns, sont allés chercher des mercenaires partout dans le monde arabe. Des affrontements avaient dû se dérouler entre les mercenaires des Mourabitouns et les Phalangistes, et les victimes avaient sans doute été jetées à la mer.

À l'entrée de Beyrouth, le chauffeur m'a cachée dans le coffre de sa Volkswagen, car nous devions traverser un espace extrêmement dangereux situé entre les quartiers chrétien et musulman. À la jonction des deux secteurs étaient embusqués de nombreux francs-tireurs appartenant à l'un ou l'autre camp. Ils tiraient aveuglément sur les passagers des voitures franchissant les lignes, épargnant systématiquement les conducteurs.

Une fois franchie cette zone de turbulences, j'aurais pu sortir de ma cachette, mais j'avais si peur, j'entendais les coups de feu, je savais que l'on devait traverser la région palestinienne gérée par les camps puissamment armés de Sabra et de Chatila, aussi suis-je restée blottie dans le coffre jusqu'à notre arrivée à l'aéroport.

Quittant mon pays, je suis passée d'abord par le Koweït pour demander un peu d'argent à mon père. Crochet indispensable car à Beyrouth tout était fermé, il n'y avait plus de banques, plus d'échanges. Peu après, j'ai repris l'avion et atterri à Orly.

Je suis allée directement chez Liz, une amie de ma sœur, une Anglaise qui vivait avec son mari rue Mazarine. J'espérais rester à Paris, et j'ai fait des heures de queue à la Sorbonne pour obtenir une inscription en sciences économiques, mais il était trop tard : nous étions déjà en septembre. Au bout de quinze jours, on m'a annoncé qu'il n'y avait plus de place, ni à la faculté ni à la Cité universitaire bourrée à craquer, ni même dans le centre chrétien d'hébergement du Ve arrondissement. Les étudiants libanais arrivaient en grand nombre et les structures estudiantines était débordées par cet afflux massif.

Mais qu'importe, j'avais vu Paris ! La première chose qui m'a frappée fut le métro. Je n'en croyais pas mes yeux ! Au Liban, tous les transports étaient dans un état affreux de vétusté et de mauvais entretien. Les taxis, de vieilles Mercedes d'avant-guerre, tombaient fréquemment en panne au milieu de la route. Et tout d'un coup, je voyais ce métro qui filait d'un point à un autre, rapide, efficace, glissant sur ses rails. Une merveille ! J'étais fascinée aussi par les tourniquets qui tournaient lorsqu'on y glissait son billet. J'étais éblouie par le progrès et la facilité des choses. L'ordre, la discipline, la propreté des rues m'époustouflaient. Je voyais pour la première fois de ma vie des boulangeries qui ouvraient et fermaient à heures fixes, toutes en même temps. C'était prodigieux.

Mais je ne pouvais pas rester dans la capitale. Ceux qui avaient déjà de la famille réfugiée dans le pays ont été regroupés, et c'est ainsi que je me suis retrouvée à Marseille chez Andrée, la sœur de ma grand-mère paternelle Victoire. J'admirais tante Andrée pour sa grande beauté, sa peau douce, ses jambes fuselées, ses cheveux clairs... Elle était le contraire de ma grand-mère Farida, cette grosse dame trapue avec des poils dans le nez et un visage rustre. Déjà, grand-mère Victoire était une image de la France, mais sa sœur la dépassait en élégance et en éclat.

Je me suis installée chez elle et, en attendant de trouver un moyen de repartir pour Paris, je me suis inscrite à la faculté d'Aix-en-Provence, toujours en sciences économiques. J'ai adoré Marseille, mais je suis arrivée au mauvais moment, au temps où se construisait le métro. La ville était chamboulée, la circulation difficile. Pour gagner la faculté, je devais marcher de chez nous à la Canebière, me rendre à la gare, prendre le bus, et il me fallait encore deux heures pour parvenir à Aix. Mais ces petites contrariétés n'entamaient pas mon enthousiasme : j'aimais la France et je me sentais française. J'appartiens à une génération qui a été sauvée par la France, le seul pays à nous avoir accueillis. Nous nous estimions tous plus proches des Français que des Arabes. Nous avions fait une scolarité française chez des religieuses, notre culture était celle de la France ; nous étions catholiques, notre confession était ici majoritaire.

III

L'AMOUR À PARIS

Je suis restée seulement trois mois à Marseille. Dès mon arrivée, j'avais demandé mon transfert pour étudier dans la capitale et, en janvier 1976, j'ai été admise à l'université de Tolbiac où j'allais rester trois ans, suivant parallèlement des cours à Censier.

J'avais voulu être à Paris, j'étais à Paris. Mais je n'avais que dix-huit ans et je me sentais bien seule. Dans mon pays, j'avais connu la difficulté de vivre mal comprise, mal vue, mal aimée ; à présent je connaissais le dépaysement et la solitude. Entre les deux, la souffrance était presque égale. J'étais totalement isolée dans la grande ville, mes amis et ma famille me manquaient. Mes petites joies, mes tristesses infinies, je ne pouvais les confier à personne, et même mes révoltes semblaient ne plus avoir de sens sous le ciel paisible d'Île-de-France. Je n'étais plus qu'une étudiante un peu désemparée suivant mélancoliquement ses cours sans très bien savoir quel serait son destin. Le monde me paraissait indifférent sinon hostile, et je ne parvenais pas à y trouver ma place. Moi qui avais tant besoin de chaleur et d'amour, j'entrais dans une retraite affective qui me faisait monter dans la gorge une boule douloureuse.

Heureusement, il y avait le métro ! J'y passais des heures. Par ce moyen, je pouvais tromper mon ennui, ressentir l'animation et la vie, prendre la mesure de la capitale. Je passais tous mes week-ends dans les rames. Je prenais une ligne d'un point à un autre, je sortais pour faire une reconnaissance à l'extérieur, et j'y retournais. Aujourd'hui encore, je connais mieux le Paris souterrain que le Paris de la lumière.

Je déambulais aussi dans les rues élégantes pour admirer les vitrines de mode et les créations des grands couturiers. Sans le sou, je n'avais à me mettre qu'une paire de jeans et un gros pull, mais en contemplant les devantures des boutiques je commençais à éduquer mon regard. J'apprenais les rudiments du bon goût. Une seule adresse me restait interdite, celle de Chanel, rue Cambon. Je n'osais pas y passer. Ce nom me rappelait trop mon enfance et Madame Juliette, elle réveillait en moi l'absence douloureuse de ma mère.

Il me faudra des années pour parvenir à surmonter ce malaise et ce n'est que bien plus tard, longtemps après la disparition de maman, que j'accepterai de porter des vêtements Chanel. Mais comme il fut dur, le premier essayage rue Cambon !

À Paris, j'ai habité de nouveau chez Liz, rue Mazarine, dans cette famille anglaise amie de ma sœur :
je faisais le ménage et j'étais logée. Je ne pouvais pas
me permettre de louer même une chambre de bonne
qui m'aurait coûté trois cents francs par mois, tout
le pécule que mes parents pouvaient m'envoyer !

Pendant la guerre du Liban, plus personne n'avait
rien là-bas, et mes parents arrivaient à peine à me
faire parvenir un peu d'argent. Mon père avait dû
quitter brusquement le Koweït où, en raison du
conflit, les chrétiens se voyaient souvent bannis. Ils
ont été renvoyés chez eux du jour au lendemain. Ma
mère m'a souvent répété avec amertume :

— On a usé notre santé, notre intelligence, notre
jeunesse pour un pays qui ne nous a même pas
reconnus et nous a jetés dehors sans nous payer
notre dû.

Très vite, la situation au Liban étant loin de
s'arranger, j'ai prié maman de ne plus m'envoyer les
trois cents francs qu'elle m'octroyait. Je me sentais
tellement coupable ! Je savais que, là-bas, les difficultés devenaient insurmontables : tout manquait, le
beurre, le pain, l'argent... J'ai fermé mon compte en
banque. Il n'y avait cette fois plus aucun moyen de
m'envoyer un centime. J'ai donc commencé à travailler et j'ai pu me louer une chambre de bonne,
rue Pierre-Charron.

J'ai servi d'abord dans une pizzeria, près de la place
Saint-Sulpice, puis dans un restaurant libanais de
Passy, *Le Beyrouth.* C'était un ancien établissement

russe tout en rouge, nappes rouges, rideaux rouges, chaises rouges, et moi qui détestais cette couleur ! J'étais à la fois caissière et serveuse et, quand on donnait une fête, pour un anniversaire, pour Noël, pour Pâques, on mettait de la musique libanaise et on dansait. Ma solitude se dissipait un peu. La famille Saab, propriétaire du *Beyrouth*, m'accueillait avec affection et me protégeait. J'étais devenue copine avec leur unique fille, qui elle aussi s'appelait Mouna. Je commençais à m'apprivoiser...

C'est au *Beyrouth*, un soir où nous célébrions l'anniversaire de Mouna (l'autre), que mon futur mari s'est attardé... C'était un habitué du restaurant mais, cette nuit-là, il est resté pour partager notre fête. Il m'a vue danser... Quand je danse, une fougue, une énergie, une force émanent de moi, et cette passion qui transparaît dévoile sans doute un peu ma personnalité.

Depuis cet instant, il s'est attaché à moi. Il est revenu me voir, m'a écrit, m'a offert des fleurs. Il s'appelait Amir Al-Tharik, c'était un Saoudien de vingt ans mon aîné, mince, avec de grosses lunettes, des moustaches épaisses, une chevelure bouclée d'un noir profond, une allure assez élégante dans son costume strict malgré une cravate aux couleurs trop criardes.

Auparavant, il était souvent venu dîner au restaurant, accompagné d'une belle blonde ou flanqué d'un couple de ses amis, des Libanais immigrés en Arabie Saoudite : Rafic H. et sa femme. Ils affichaient tous deux une trentaine allègre.

Un soir, Amir m'a invitée je ne sais plus trop où, mais j'ai refusé car je terminais mon travail à deux heures du matin et le lendemain je devais me lever à six heures pour être à la fac de Tolbiac à sept heures. Je ne pouvais sortir que le week-end. Amir a donc attendu jusqu'au dimanche suivant et nous sommes allés déjeuner à l'hôtel Intercontinental.

Il m'a parlé avec passion, disant qu'une jolie fille comme moi ne devait pas travailler dans un restaurant et qu'il pourrait s'occuper de moi. Et puis il a sorti cinq cents francs de sa poche et m'a demandé d'aller chez le coiffeur car j'avais des cheveux très longs, ondulés, rétifs et très mal soignés. Mon physique lui donnait peut-être l'impression que j'étais une fille gentille et douce, il ne connaissait pas encore mon caractère de chien ! Je m'emporte vite. Quand on m'énerve, je réagis. Surtout quand on me manque de respect. Comme j'ai vécu dans un pays arabe où la femme est méprisée, je suis très sensible sur ce point. C'est vrai qu'alors je n'avais pas d'argent pour aller chez le coiffeur, mais le voir sortir ses cinq cents francs de sa poche m'a plongée dans une rage folle. Mon sang n'a fait qu'un tour et j'ai pensé : Voilà encore un type qui veut m'insulter ! Je l'ai giflé en plein restaurant, je lui ai jeté son argent à la figure et je suis partie en prononçant ces paroles que je voulais définitives :

— Ne t'approche plus jamais de moi. J'irai chez le coiffeur quand je voudrai aller chez le coiffeur !

À partir de cette scène mémorable, il ne m'a plus lâchée. Il me suivait, rôdant dans les parages de la rue Pierre-Charron, allant et venant aux abords de l'immeuble. Il était si insistant que j'avais peur de rentrer chez moi. J'allais dormir rue de Verneuil, chez Béatrice, une amie du Liban. Peine perdue, je le retrouvais jusque devant chez elle. Il lui est même arrivé d'être questionné par la police : une voisine avait prévenu le commissariat du quartier qu'un homme aux allures bizarres tournait en rond dans la cour.

Une nuit, il s'est planté devant ma fenêtre et m'a appelée :

— Mouna, Mouna, Mouna...

Je suis descendue pour tenter de le faire taire, et c'est là, dans cette petite cour grise, qu'il m'a fait la plus belle déclaration d'amour que l'on puisse entendre.

Il m'a posé sur la tête une couronne de papier qu'il avait lui-même confectionnée, il s'est agenouillé et a prononcé des mots merveilleux qui ont su me toucher. Il a dit que j'étais la reine de ses rêves, qu'il ne pouvait concevoir sa vie sans moi, qu'il voulait me protéger, m'aimer, m'apprendre les joies de l'existence. Les Orientaux savent dire ces choses sans être ridicules. J'étais bouleversée. Jusque-là, personne ne m'avait jamais adressé des paroles aussi attendrissantes. Puis il m'a demandé de réfléchir. Il devait partir aux États-Unis pour un mois et espérait une réponse à son retour.

Nous étions le 19 février 1976. Six jours plus tard, je célébrais mon dix-neuvième anniversaire. Le soir, comme à l'ordinaire, je me suis rendue au restaurant de Passy pour travailler. Toutes mes copines et tous mes collègues m'attendaient avec du foie gras, du caviar, un fastueux repas de fête et un énorme gâteau ! La propriétaire m'a fait asseoir à une table en m'annonçant :

— Quelqu'un vous a invitée à dîner avec toutes vos amies. Malheureusement, il n'est pas là, mais il nous a donné ses instructions, il a laissé aussi une lettre...

J'ai lu la lettre et j'ai éclaté en sanglots. C'était tellement émouvant ! Dans son message, Amir disait qu'il pensait à moi, à mes cheveux, à ma peau, qu'il attendait impatiemment son retour... Si je voulais bien de lui, si ma réponse était positive, il me demandait d'aller le retrouver à Londres : il se refusait à venir à Paris pour essuyer un refus. Il me donnait une date, le 14 mars, une adresse, et joignait un billet d'avion à sa missive. Il me suppliait de prendre ce billet non comme une offense, mais comme une simple invitation.

Qu'allais-je faire ? Si je demandais conseil à mes sœurs, elles allaient sans doute m'exhorter à refuser. Elles ne me voyaient sûrement pas faire ma vie, moi chrétienne et rebelle, avec un Saoudien. J'ai tout de même appelé ma sœur Sonia qui était au Koweït, mais je n'ai pas osé lui dévoiler toute la vérité, j'ai menti en prétendant que j'avais rencontré un Marocain. Cette feinte ne m'a pas été d'un grand secours : elle ne voulait pas entendre parler d'un musulman.

— Tu ne vas pas te mettre dans ce pétrin, m'a-t-elle dit. De nous toutes, tu es la plus éloignée des traditions arabes ! Oublie les Orientaux, ils vont te rendre malheureuse. Comme je te connais, créative, extravertie, sensible et un peu fofolle, ce n'est pas un monde pour toi. Tu n'y trouveras que du malheur.

Elle savait que je ne pouvais pas être l'épouse idéale pour un musulman. Moi je l'ignorais encore...

J'ai appelé mon autre sœur, Samia, qui se trouvait toujours au Liban. Je lui ai présenté la même version : j'avais rencontré un Marocain, il voulait que l'on se marie le plus vite possible. Elle aussi se montra totalement opposée à cette idée.

Faisant fi des avertissements de mes proches, trois semaines plus tard, je sautai dans l'avion pour Londres et me fiançai avec Amir. Une fille comme moi qui n'avait personne dans sa vie, qui vivait seule dans ce Paris immense et anonyme, ne pouvait résister longtemps à un homme aussi amoureux. Pendant quelques jours, j'ai partagé sa vie sociale animée, il était si fier de me présenter à ses amis saoudiens !

Comme je n'avais rien à me mettre, il m'a emmenée à la boutique Saint Laurent de Londres pour m'acheter une robe, avec un châle sublime, que j'ai conservé. Il s'occupait de moi avec une attention touchante. Amir était plus âgé que moi, il ne partageait pas ma culture, mais il avait de la sensibilité et du charme. Et j'ai pris le risque. J'ai accepté les fiançailles à la condition de ne pas envisager le mariage avant deux ans.

Pour quelle raison acceptais-je de m'unir à un homme tellement différent de moi et tellement plus âgé ? Peut-être à cause de mon père. Je ne voulais pas épouser un homme trop jeune et trop beau qui aurait pu me faire souffrir.

Certes, Amir était beau à sa manière, mais ce n'était quand même pas Brad Pitt et il avait vingt ans de plus que moi. Je pensais que cela me donnait un avantage. Je croyais surtout trouver la sécurité avec lui. J'étais sûre que nous parviendrions tous deux à un certain équilibre. Certes, je n'étais pas l'ingénieur qu'il était, je n'avais aucune « situation », mais lui n'avait pas mes qualités, il n'était pas charismatique, il était un peu triste, maladroit en société et ne savait pas se lier. J'étais persuadée que nos dissemblances seraient complémentaires et que nous pourrions trouver une harmonie dans notre couple. Car je croyais vraiment à notre couple. J'ignorais les problèmes que créerait entre nous le monde si sévère de l'Islam.

À cette époque-là, Amir n'avait pourtant pas encore la fortune colossale qu'il a accumulée par la suite. Il possédait assez d'argent pour se louer une voiture, pour vivre à l'hôtel lors de ses passages à Paris, mais son ascension professionnelle débutait seulement. Comme mon père, il était dans la construction, mais lui était ingénieur et commençait à avoir une belle réputation en Arabie Saoudite.

À Riyad, il avait accueilli en 1967 le fils d'un ouvrier agricole libanais. Ce jeune homme aux dents longues et aux moustaches qui partaient dans tous les sens, Rafic H., s'était fait comptable dans une entreprise de vente d'agrumes de Saïda, sa ville natale, avant de tenter l'aventure saoudienne. « Sponsorisé » par Amir, Rafic, de comptable à Riyad, était devenu un important brasseur d'affaires et l'ami très proche de mon futur mari. La protection et la caution d'authentiques Saoudiens lui étaient indispensables : un étranger ne peut exercer une activité commerciale en Arabie qu'à la condition de s'associer à des nationaux.

Quand j'ai rencontré Amir, il séjournait à Paris avec son inséparable acolyte pour leur premier grand projet dans le bâtiment : tous deux étaient venus présenter à un prince saoudien un modèle de chambre pour un hôtel en construction.

À l'occasion du Congrès islamique qui devait se dérouler à Taëf, à une centaine de kilomètres de La

Mecque, le roi Khaled souhaitait en effet la construction rapide d'un ensemble hôtelier de quatre cents chambres. Les grandes entreprises mondiales sollicitées avaient toutes déclaré forfait : aucune d'elles ne pouvait achever le programme en moins de trois ans.

Rafic et Amir décidèrent de relever le défi. Ils s'adressèrent à une entreprise française en difficulté financière mais qui possédait l'infrastructure humaine pour mener à bien un tel ouvrage en neuf mois seulement. Dans la montagne saoudienne s'ouvrit alors un chantier délirant : les matériaux, béton et meubles, furent transportés par avion ou par hélicoptère ; les équipes, ingénieurs et ouvriers, se plièrent à la règle des trois-huit, sept jours sur sept, et le bâtiment sortit de terre dans les temps impartis.

Le roi n'en crut pas ses yeux. Quand il vit que ces deux là, Rafic et Amir, avaient réussi, il s'exclama :

— Ce n'est pas un hôtel, c'est *Massarah*...

Ce terme signifie en arabe « explosion de joie ». Et l'hôtel fut appelé *Massarah*.

Pour Amir, c'était le début de la gloire. À partir de ce premier tour de force, il a définitivement obtenu la confiance du roi Khaled et celle de son frère, le prince héritier Fahd, qui allait monter sur le trône saoudien en 1982. Dès lors, et pendant presque quinze ans, il serait l'ingénieur de la cour, l'ami intime et le conseiller du roi. Avec Rafic, il a dirigé presque trois cents programmes de construction : des hôtels, des mosquées, des hôpitaux, des bibliothèques, des

palais, des salles de conférences pour le gouverne-
ment...

Peu après ma rencontre avec Amir, ma sœur Sonia,
qui commençait à avoir des problèmes avec son
mari, est venue me retrouver à Paris. Mon fiancé lui
a trouvé un travail de secrétaire et son salaire a amé-
lioré un peu mon ordinaire, car j'étais toujours une
étudiante sans ressources. Un peu plus tard, Samia,
ma sœur cadette, nous a rejointes pour suivre une
formation d'esthéticienne. Nous avons habité toutes
les trois ensemble rue des Saints-Pères. Sonia travaillait, Samia suivait ses cours et j'allais à la fac.

Bientôt, avec l'aide d'Amir, les choses commen-
cèrent à s'arranger financièrement pour nous. Notre
petit appartement de la rue des Saints-Pères m'apparaissait comme un paradis après la chambre de
bonne, mais quand Amir est venu me rendre visite,
en compagnie de Rafic, dans notre troisième étage
sans ascenseur, il a été effaré. Il ne pouvait accepter
de me voir vivre dans ce modeste studio et nous a
installées dans un immense appartement du boulevard Lannes.

Ces deux années de fiançailles ont été les plus
belles de ma vie. J'étais avec mes sœurs, des amies
du Liban passaient nous voir, c'était le grand bonheur. Sonia avait réussi à faire sortir son petit garçon
du Koweït, elle l'avait placé à l'école américaine de
Saint-Cloud et nous connaissions ainsi un semblant

de vie de famille avec un enfant, une grande sœur qui allait travailler, une autre qui suivait sa formation professionnelle, moi qui continuais mes études. Nous nous retrouvions le soir et nous nous cuisinions un plat de pâtes dans une atmosphère joyeuse, détendue.

Amir nous a permis de vivre une vie conviviale et sans soucis. Il avait ce côté généreux, désintéressé, affectueux, et c'est aussi pour cela qu'il m'a conquise. En fait, c'est le seul homme que j'aie vraiment aimé dans ma vie. Aujourd'hui, je suis certaine de ne plus pouvoir me lier de cette manière, violente et passionnée. Il était tout pour moi et mon attachement n'était pas un caprice : c'était vraiment un être extraordinaire, touchant, tendre, respectueux, pas du tout le monstre d'indifférence qui m'est apparu par la suite. Tout s'est détérioré, me semble-t-il, lorsqu'il a accumulé une immense fortune. L'argent procure le bien-être, mais gâte parfois les relations.

J'aimais donc Amir mais je le voyais à peine. Il travaillait en Arabie Saoudite et se trouvait toujours dans un avion en partance pour le bout du monde. De temps en temps, quand il passait par Paris, nous nous retrouvions, sans que mes sœurs le sachent, bien sûr...

Nous nous sommes aimés d'un amour rare. Il était inquiet, il m'appelait plusieurs fois par jour de tous les coins de la terre, il voulait savoir quand je sortais d'un cours, quel autre cours j'allais suivre, dans quel café j'étais allée, qui j'avais rencontré. Parfois, il nous réveillait en pleine nuit, seulement pour s'assurer que j'étais sagement rentrée à la maison.

Et puis, doucement, il a fallu dévoiler à ma mère la vérité sur mes fiançailles. Quand elle est venue à Paris, nous trouvant dans cet appartement vaste et luxueux, elle a été sidérée. Qu'allait-on lui dire ? Je n'osais pas lui parler et c'est ma sœur aînée qui lui a tout révélé. Ma mère s'est effondrée sur le canapé, elle a pleuré en me disant :

— Tu n'aurais jamais dû faire ça, ma fille. Jamais. Pas toi...

On lui a montré la photo de mon fiancé et elle n'a pas pu s'empêcher de s'exclamer :

— Tu es une rose, et lui c'est de la terre...

— Mais, maman, les roses ont besoin de terre pour s'épanouir, ai-je répliqué, voulant faire un peu d'humour pour détendre la situation.

— Oui, mais elles ont aussi besoin de soleil et d'eau, et ce sont deux choses qu'il ne pourra jamais te donner.

Elle est repartie très vite au Liban sans vouloir rencontrer mon fiancé. Quant à mon père, on ne lui a rien dit. D'ailleurs, faisait-il encore partie de la famille ? Il était retourné au Koweït pour tenter d'être payé pour ses projets de naguère. Il ne comptait plus pour nous et nous ne comptions plus sur lui. Il était sorti de notre vie.

Par amour pour mon futur mari, je voulus tout apprendre de la religion musulmane. Je me sentais plus proche de lui en pratiquant sa foi, c'était pour moi une véritable preuve d'attachement. Je me disais aussi que si je ne comprenais pas sa religion, je ne le comprendrais pas lui-même. En tant que Libanaise, j'avais pu constater dans mon pays combien les différences religieuses et culturelles pouvaient créer des problèmes dramatiques. Surtout, je voulais donner une éducation musulmane à mes enfants à venir. Je ne me suis pas convertie juste pour me marier religieusement, je l'ai fait aussi par conviction et pour me rapprocher de l'homme que j'aimais de toutes mes forces.

J'ai suivi des cours à la mosquée de Paris et j'avoue que l'imam qui nous formait était très efficace. Hélas, il tomba amoureux de moi. Il se faisait empressé, me poursuivait de ses assiduités, m'invitait à prendre un café pour me dire combien j'étais jolie...

Je restais aimable car je savais que j'avais besoin de son certificat de conversion. Je l'écoutais, je lui disais que j'étais fiancée, mais il n'arrêtait pas de me harceler. Ses avances insistantes commençaient à me faire peur et j'en ai parlé à Amir. Je prenais des cours depuis quatre mois déjà et je voulais à présent que cette affaire de conversion soit accélérée pour en finir. Les autres élèves de ma classe avaient déjà obtenu leur certificat, j'étais la seule à rester en rade :

l'imam n'était pas pressé de me voir partir. Heureusement, des ordres sont venus de je ne sais où et j'ai enfin obtenu le précieux document.

Peu après, ce fut le ramadan. Je me suis donc rendue à la mosquée avec mon fiancé. Moi, du côté des femmes, lui avec les hommes. J'étais habillée très discrètement, chemise longue, jupe longue, bottes, écharpe et, autour du cou, au bout d'une chaîne, un petit Coran relié en or que m'avait offert Amir.

J'avais l'allure d'une bonne musulmane mais je pense que je gardais, sans le vouloir, cet air différent, ce regard d'enfant un peu naïf qui ne sait jamais où il est. Ou alors la chrétienne perçait-elle en moi ? Des femmes effrayantes, emmaillotées dans des djellabas, m'observaient sans aménité. L'une d'elles s'est précipitée sur moi en criant :

— Vous n'êtes pas musulmane, vous ! Qu'est-ce que vous faites dans la mosquée ?

— Je suis venue prier, comme vous...

— Non, ce que vous avez autour du cou, c'est une croix !

Une croix ? Le petit Coran offert par Amir ! Elle me l'a arraché du cou et l'a lancé à terre. À cet instant, toutes les femmes se sont ruées sur moi. J'ai été terrassée par une pluie de coups de poing et de coups de pied, puis elles m'ont jetée dehors. J'étais ensanglantée, j'avais mal au dos, aux reins, aux jambes, je boitais dans la rue, pieds nus car elles avaient volé mes bottes et je criais pour qu'Amir vienne à mon secours. Quand il m'a vue dans cet état, il a été stupéfait. Je lui ai dit alors :

– Je n'entrerai plus dans une mosquée. Tu me prends pour femme ou non, mais sache que je n'irai jamais plus prier dans une mosquée...

En effet, pendant très longtemps je n'y suis pas retournée. Ce n'est qu'en janvier 2000, alors que j'étais à Marseille pour faire une donation destinée aux enfants du centre culturel musulman, que j'ai pénétré de nouveau dans une mosquée. Pour la première fois depuis presque vingt-cinq ans. En visitant ce lieu d'éducation, j'ignorais que j'allais devoir passer par la partie réservée à la prière, je pensais que les responsables allaient seulement me montrer le centre culturel. Mais celui-ci n'était accessible que par la mosquée.

J'avais voulu faire un don pour les enfants musulmans de Marseille parce que le grand problème du monde arabe reste le manque d'éducation. C'est sur ce terreau d'inculture que poussent les intégrismes, les extrémismes, les fondamentalismes. J'ai donc décidé aujourd'hui de consacrer une partie de mes fonds et de mes gains à permettre aux enfants, et en particulier aux enfants musulmans, d'accéder à la connaissance.

Quand je regarde mes propres fils et ma fille, des enfants intelligents que, grâce à Dieu, j'ai pu mettre dans de bonnes écoles, je ne vois pas pourquoi les autres ne pourraient pas donner les mêmes résultats avec un peu d'efforts. Si mes enfants sont capables d'ouverture, les autres le sont aussi. Si certains gamins sont obtus, renfermés, intégristes, c'est parce que les mouvements fondamentalistes les empoisonnent avec des idées religieuses extrémistes qui ne sont que des signes de régression, et qui les empêchent de profiter de l'éducation, du progrès et de la tolérance.

Je suis toujours musulmane. Selon la loi coranique, la foi islamique ne peut être reniée. Mais quelle importance ? Musulmane ou chrétienne, il faut surmonter les intolérances et les partis pris. J'étais chrétienne, je suis musulmane, je reste pourtant la même. Je rêve d'un monde sans religion, sans rituels, avec pour tous un seul Dieu.

Nous nous sommes mariés le 1ᵉʳ février 1978. Maman était affolée à l'idée de me voir partir pour Riyad, habiter un pays musulman pur et dur. J'ai tenté de lui expliquer que l'on se trouvait dans un siècle où les choses étaient permises, où les mariages entre époux de différentes origines étaient possibles, mais elle n'a jamais voulu m'écouter. Elle était furieuse. Elle ne me l'avouait pas ouvertement, mais elle se confiait à mes sœurs. D'abord, elle n'aimait pas mon mari qu'elle avait fini par rencontrer. Elle prétendait que quelque chose la dérangeait en lui. C'est vrai qu'il avait un visage assez dur, qui pouvait effaroucher. Ensuite, elle estimait que, même pendant cette période heureuse, il ne faisait pas suffi-samment attention à moi. Si elle avait su que, plus tard, je passerais avec mes bébés des journées, des mois et même des années intolérables de solitude !

Maman est morte un an plus tard, toujours en colère contre moi. Elle succomba à une opération du cœur, tentée à Houston. C'est malheureusement moi qui l'ai encouragée à aller se faire soigner aux États-Unis car on y trouvait là-bas les meilleurs médecins. Elle nous a quittés à l'âge de quarante-cinq ans seulement, et je crois que je ne m'en suis pas encore remise. Elle demeure toujours en moi, j'ai sa photo dans ma chambre et je pense à elle tous les jours. Mais je ne peux pas en parler, c'est trop dur...

Le mariage s'est déroulé à Londres. Mes sœurs sont venues, mon père aussi, car j'étais encore mineure pour quelques semaines (à l'époque, la majorité était à vingt et un ans) et j'avais besoin de son accord officiel.

Si ma mère a refusé d'assister à la cérémonie, elle ne m'a pas tout à fait abandonnée. À Paris, c'est avec elle que je suis allée chez Jean-Louis Scherrer acheter ma première robe de haute couture. En fait, je n'ai pas choisi une robe de mariée classique, mais un tailleur blanc cassé en guipure, très simple. Je ne voulais pas me marier affublée de falbalas préten-tieux, comme le font souvent les femmes de nos pays. J'avais en horreur les robes moirées et les tiares dont on déguise les jeunes filles musulmanes au moment de la cérémonie du mariage. Je voulais au moins garder une certaine sobriété, une certaine dignité. Comme toujours, je refusais d'être comme les autres, je tenais à faire les choses différemment.

À Londres, maman m'a emmenée chez le coiffeur, m'a conseillée, m'a préparée et s'est retirée au moment de la cérémonie. Le cheik est venu avec trois témoins musulmans, il a lu quelques versets du Coran. Cela fait, mon père et les trois témoins ont signé l'acte du mariage, ensuite nous avons offert un dîner, et voilà : tout était terminé.

Les extraits du Coran m'avaient choquée : ils parlaient en termes précis des relations sexuelles, des devoirs de la femme envers l'homme... Rien à voir avec les rites que je connaissais où l'on demande aux époux un consentement mutuel. Pourtant, j'avais lu en grande partie le livre saint de l'Islam au moment de ma conversion, mais je n'avais jamais pris connaissance de passages aussi explicites ! En clair, il y est recommandé à l'homme de posséder sa femme le plus souvent possible, et à la femme, si je puis dire, de rester à sa disposition. Ce dont, pour l'heure, je ne songeais pas à me plaindre car j'étais terriblement amoureuse. J'aimais Amir, je fus comblée. Je ne savais pas encore que « rester à la disposition » d'un homme diminuait considérablement les efforts qu'il pouvait faire pour vous séduire de nouveau chaque fois, et qui donnent du piment à l'amour.

Après le mariage, Amir est reparti directement à Riyad. Pour ma part, je suis repassée par Paris afin de boucler mes valises, faire mes adieux à ma famille et à mes amies.

Cahotant, soufflé par les vents, le petit avion privé de Rafic H. m'a emportée en Arabie Saoudite où je suis arrivée le 25 février, jour de mon anniversaire et de ma majorité. J'étais quand même assez inquiète, ne sachant pas très bien ce qui m'attendait. Je savais seulement que je quittais Paris, la ville dont j'avais rêvé durant toute mon enfance, et que j'abandonnais mes études. Par amour.

Je n'ai jamais imaginé, même dans mes cauchemars les plus sombres, que l'Arabie Saoudite pouvait être ce que j'allais bientôt découvrir. Je pensais, au pire, que le pays serait à l'image du Koweït, une société diverse et contrastée où l'on pouvait rencontrer des fanatiques et des femmes voilées mais aussi des musulmans tolérants, des étrangers et des jeunes filles modernes. Je croyais naïvement que l'Arabie Saoudite était un pays qui s'ouvrait un peu sur le monde.

Et que l'amour, comme dans les chansons bêtes, durait toujours...

IV

LA CAGE DORÉE

Amir m'attendait à l'aéroport de Riyad vêtu d'une longue robe blanche. Il monta dans l'avion et me tendit aussitôt le voile noir épais et l'*abaya*, le manteau noir que les femmes d'Arabie Saoudite doivent obligatoirement porter. Patiemment, avant même de me permettre de poser le pied sur le sol saoudien, mon mari m'a appris à nouer le voile, à m'en couvrir les cheveux et le visage entier, jusque sur les yeux. Interdiction aux femmes de montrer leur regard, une œillade surgissant du voile est une provocation car de beaux yeux, même non maquillés, apparaissent comme terriblement sexy. Et j'ai accepté de me voiler. Moi, Mouna la révoltée, la fan de Coco Chanel !

Ainsi vêtue, j'étais animée d'un sentiment de fierté mêlé à une impression plus trouble. Fierté parce que je rejoignais l'homme que j'aimais et que, pour lui plaire, je me pliais aux coutumes de son pays. Mais en même temps, au fond de moi, une voix me mur-

murait : « Attention, tu es en train de te trahir. »
J'étais fière d'être la femme que j'étais, cette femme
qui aimait un homme de tout son cœur, mais la voix
frondeuse me brûlait comme une flamme et me
répétait que j'abandonnais une part de moi-même.
Je sentais de lourdes portes se refermer sur moi : la
règle, la tradition, la pression sociale étaient si fortes
que nulle épouse ne pouvait se dérober à la
contrainte du voile. Malgré tout, l'espoir demeurait
entier en moi. Je pensais que je parviendrais à m'inté-
grer à ce royaume, à trouver ma place et mon rôle
dans une société qui devait immanquablement évoluer vers la modernité.

En débarquant, la première chose qui m'a frappée
fut le spectacle de tous ces hommes en robes blanches. C'était vraiment très impressionnant même si,
à travers le tissu rugueux qui couvrait mon visage,
tout m'apparaissait flou et vaporeux. J'arrivais dans
un pays où la femme n'était rien mais où les hommes
portaient des robes ! Des questions naïves et loufo-
ques me venaient à l'esprit : Comment ces hommes
qui portent des robes peuvent-ils vraiment se
prendre pour des hommes ? Qui porte la culotte
dans ce pays ?

Tout de même, me disais-je, ces hommes qui se
veulent de vrais machos devraient revoir leurs habitudes vestimentaires. Mais je me rassurais, certaine
qu'un jour tous ces hommes-là seraient en costume,
comme ce fut le cas en Turquie. Ça n'est pas arrivé

et ça n'arrivera jamais. Cette robe blanche représente beaucoup plus pour eux qu'un costume national. Elle est confortable, légère, dans la chaleur elle est supportable, l'air passant à travers ; même si les hommes transpirent on ne le voit pas. De plus, les Saoudiens ont l'habitude ahurissante de se parfumer d'encens entre leurs jambes, ce qui serait impossible avec des pantalons.

Plus tard, je dirai à mes garçons :

– Jamais je ne veux vous voir porter une robe !

Je ne conçois pas qu'un homme puisse s'habiller ainsi. Dès qu'un Saoudien s'approche de moi dans sa tenue traditionnelle, je perds immédiatement mon respect pour lui. Si je le vois en Europe, en costume, je peux avoir avec lui un contact humain, un échange naturel ; mais s'il porte sa robe blanche, je me braque. J'ai beau tenter de me défendre de cette impression négative, j'ai beau essayer de me raisonner, je n'y puis rien. Ce sentiment me submerge et me dépasse.

Mon mari, ainsi affublé, ressemblait à une infirmière et je trouvais cela plutôt comique, voire un peu ridicule. Souvent, je lui ai lancé de petites piques à ce sujet. En riant, j'en ai même parlé un jour à un haut dignitaire de Riyad : il était furieux et j'ai vite compris que le thème ne devait jamais plus être abordé.

À Riyad, dans les années soixante-dix, il n'y avait que l'aéroport, un petit hôtel nauséabond, un ou deux supermarchés, quelques magasins de tissus et surtout des boutiques qui vendaient ces fameuses robes blanches. L'enseigne Dior s'est installée un an après mon arrivée, mais, à cette exception près, il n'y avait aucune boutique pour les femmes. Rien ne nous était permis. La plupart des négoces, les coiffeurs même, étaient interdits aux dames. Aujourd'hui, quelques établissements leur sont destinés, mais ce sont des commerces généralement gérés par des hommes et les clientes ne peuvent qu'entrer, acheter et ressortir. Interdiction de toucher ou d'essayer.

Mon mari m'a installée dans notre maison. Avec mes exigences de gamine, je trouvais l'intérieur tellement affreux, tellement laid, tellement mal arrangé que je n'osais même pas y inviter ma mère : elle aurait pu me dire qu'elle m'avait prévenue ! Le décor était consternant. Les papiers peints aux épouvantables dessins de fleurs, les tapis aux couleurs criardes, les meubles fonctionnels aux lignes droites ne ressemblaient en rien à ce que j'avais connu. Et, dans les années soixante-dix, le polyester régnait en maître sur cet environnement de mauvais goût. En Arabie Saoudite, dans les humbles demeures comme dans les palais, tout était en polyester, la moquette, les couvertures, les rideaux, tout ! Dans ma famille, au Liban, on m'avait appris à aimer les matières naturelles et chaudes, les affreux tissus artificiels ne nous avaient pas encore atteints et je découvrais, stupéfaite, les dégâts causés par un modernisme ravageur.

La vie de tous les jours était faite de mille petites contrariétés agaçantes. Dans ce pays qui émergeait à peine du désert, étant passé en quelques décennies du nomadisme miséreux à la richesse insolente, les intérieurs des maisons étaient généralement mal conçus, mal construits, rien ne fonctionnait. Chaque jour, il fallait appeler le plombier ou l'électricien.

Mais j'étais si jeune, si enthousiaste, si amoureuse que cette désolation m'apparaissait comme une chance. Ma passion pour Amir allait pouvoir s'exprimer : je m'acharnerais à lui apporter un souffle neuf dans son existence, à transformer son quotidien, à lui offrir un peu de bien-être. En effet, j'ai peu à peu réaménagé la maison et cette tâche m'a occupée. J'ai refait la décoration, puis, avec le temps, j'ai tout transformé. Ce n'était pas du goût de tout le monde et peu de personnes, dans l'entourage d'Amir, comprirent cette fièvre d'aménagement. Mais moi je croyais apporter du bonheur. En tout cas, je faisais là-bas mes premières classes de décoratrice, qui allaient m'être précieuses, plus tard, sur les bateaux et les jets de mon époux, puis sur le *Phocea*.

Pour le reste, je pensais qu'en changeant les apparences, je modifierais la réalité du pays... Quelle naïveté !

*
* *

Très vite, à peine arrivée, il m'a fallu rencontrer la famille de mon mari, ses sœurs, son oncle, quelques cousins et cousines. À cette occasion, nous avons lancé une invitation pour un grand déjeuner à la maison. Mais je ne savais pas cuisiner. Pour tout arranger, il n'y avait pas de traiteurs à Riyad et nous n'avions pas de personnel à cette époque, seulement un garçon libanais qui m'aidait à l'entretien. J'ai cherché un cuisinier en extra pour l'occasion, mais je ne connaissais presque personne et je n'étais plus en Europe, libre d'aller et venir, de prendre contact avec des gens, de m'adresser à un bureau de placement. Je dus donc me résigner à œuvrer avec les moyens du bord.

Qu'allais-je offrir à mes invités ? Grâce à Dieu, le garçon qui était à notre service savait faire quelques salades. On s'est donc organisé comme on pouvait. On s'y est attelé trois jours à l'avance et on s'est partagé le travail.

Heureusement, j'avais un livre de cuisine libanaise, cadeau de ma mère pour mon mariage. J'ai donc commencé à apprendre, en réalisant deux ou trois recettes ; de son côté, le garçon a préparé des salades, et l'on a commandé quelques mets typiquement saoudiens dans l'unique hôtel de la ville. Résultat : ce que j'ai cuisiné était horrible, et les salades ratées. Seuls les plats livrés se révélèrent à peu près comestibles. Poliment, mes invités ont quand même avalé cette triste pitance. En ce qui me concerne, j'en fus totalement incapable.

De toute façon, mes hôtes ne s'intéressaient ni à moi ni à ce que j'avais pu cuisiner. Au moment où j'ai fini de servir et où je me suis enfin assise, ils se sont tous levés et m'ont laissée seule, mon foulard sur la tête et mes yeux pour pleurer. Il faut savoir en effet que, devant le père, l'oncle, les frères, le mari et les fils, les femmes peuvent dévoiler leur visage, à condition de cacher les cheveux, signe luxuriant de sexualité s'il en fut. Ainsi le veut la tradition.

La tradition veut également que, lorsque les hommes ont terminé leur repas, ils quittent la table et les femmes les suivent docilement. Tous se sont donc levés à l'instant où je prenais enfin place. Pas de merci pour le dîner, pas un regard, pas un mot. Je suis restée sur ma chaise, immobile. C'était un tel choc, je ne pouvais plus bouger, j'avais l'impression que mes forces m'abandonnaient. J'ai compris alors que ma vie allait être difficile et j'ai éclaté en sanglots. Je versais mes premières larmes en Arabie Saoudite, dans ce pays où je n'allais pas cesser de pleurer pendant presque vingt ans. En un instant, tout avait basculé. Mes espoirs et mes engouements s'étaient envolés. Je me retrouvais seule, envahie par la peur, saisissant soudain que j'avais commis une erreur qui me ferait souffrir tous les jours. La force de la coutume imposée par la société saoudienne élevait un mur infranchissable entre les autres et moi.

Déjà au Liban, naguère, je ne trouvais pas ma place et c'était pourtant ma patrie. Si j'avais été un peu plus clairvoyante, je ne me serais pas condamnée à vivre dans ce milieu fermé et rétrograde, parmi des gens qui ne pouvaient pas m'aimer, qui ne voulaient pas m'aimer, moi l'étrangère.

Je faisais tout pourtant pour réussir mon mariage. Je voulais rendre mon époux heureux, lui donner une grande famille. Mais j'étais trop seule. J'aurais souhaité rencontrer quelqu'un qui vive à mon rythme, une amie, une alliée. Seulement les femmes saoudiennes de notre entourage avaient leur façon de vivre, à mille lieues de la mienne. Parce qu'il faut savoir ce qu'est l'existence des femmes saoudiennes « aisées ». Elles se lèvent tard dans l'après-midi, se pomponnent, se parent « au cas où »... Au cas où l'époux reviendrait inopinément de ses affaires au crépuscule ou de ses sorties tard dans la nuit. Un geste du mari et à la chambre ! Gare aux épouses si elles ne sont pas disponibles. Entre-temps, elles gèrent la maison, sortent rarement puisque la plupart des boutiques leur sont interdites, se cachent sous leur voile et pas de maquillage en dessous : interdit ! Interdite aussi la plupart des lectures occidentales et des films (à vrai dire, on n'en trouvait pas). Interdit de parler aux hommes, interdit de fréquenter une amie qui ne plaît pas à l'époux, interdit de faire du sport, interdit de rire en public et de parler à voix haute.

J'allais sérieusement détonner dans un pareil environnement. Je choquais les princesses et les dames de la cour, quels que soient mes efforts pour les apprivoiser. Je ne savais pas comment me mêler à leurs interminables babillages de poupées attendant le retour du maître. J'avais envie de discuter de choses plus sérieuses, de découvrir la ville, de me sentir exister. Je restais seule avec mes rêves occidentaux étouffés.

Amir ne mesurait pas les sacrifices auxquels je consentais pour lui plaire. Lui vivait parfaitement bien entre l'Occident et chez lui. Il m'avait amenée au bercail, il lui paraissait tout à fait naturel que je m'y adapte. De plus il voyageait beaucoup, me laissant seule avec mes problèmes. Quand il revenait près de moi, bien sûr c'était en amant merveilleux et je me délectais de ces retrouvailles, mais j'aurais voulu lui parler davantage, essayer de trouver grâce à lui le moyen d'échapper à mon isolement.

Amir avait-il le goût du bonheur ? Je crois qu'il ne se posait pas la question. Il suivait son destin d'homme d'affaires de par le monde. Je l'attendais à la maison, dans un univers hostile.

J'avais tant de mal à comprendre les mœurs saoudiennes que, consciemment ou non, je commettais bévue sur bévue. Je me souviens d'une soirée offerte par le ministre du Pétrole, Ahmad Zaki Yamani, à l'occasion de la visite d'un sénateur américain.

Yamani, d'origine yéménite, était un des rares hôtes à accepter que les femmes accompagnent leurs époux dans les soirées mondaines, et de surcroît non voilées ! Cette opportunité de sortir « normalement » me ravissait. Ce soir-là, habillée d'une robe de Saint Laurent, je tranchais sur l'ensemble des Saoudiennes, à l'époque souvent grasses, parées de lourds bijoux, vêtues de couleurs discordantes, trop vives, trop brillantes. Le sénateur m'a remarquée, il est venu gentiment me parler. Il m'a demandé qui j'étais et pourquoi j'affichais cet air un peu hagard... Je lui ai répondu aimablement pendant que des hommes saoudiens m'observaient de loin. J'étais juste heureuse de causer, de rire un peu. Soudain, la musique s'est arrêtée et, dans le silence brusquement tombé, on n'entendit que mes joyeux éclats de voix... Alors, de l'autre bout du salon, un rugissement m'a clouée sur place :

— *Shut up !* Silence !

Je reconnus la voix de mon mari. J'étais affreusement humiliée. Mes larmes ont jailli et je n'ai pu les arrêter. L'Américain a tout fait pour me calmer, mais quelque chose était brisé en moi et j'ai demandé au chauffeur de me reconduire à la maison.

Encore une fois, je ne connaissais pas les usages. Je n'imaginais pas, en me montrant seulement souriante et aimable avec un étranger, que je contrevenais à toutes les traditions. J'étais niaisement enchantée que l'on vienne enfin me parler. D'ordinaire, je n'avais pas le droit d'adresser la parole aux hommes saoudiens et les femmes me rejetaient. Je ne savais pas que, selon le code de la morale et de la bienséance, je ne pouvais pas bavarder seule avec un monsieur quel qu'il soit, même avec un sénateur américain. J'aurais dû m'excuser et le laisser pour aller me placer modestement, humblement, dans le groupe des dames. À quoi bon être invitée, pourquoi sortir ?

Ma spontanéité, mon ingénuité exaspéraient les femmes que je rencontrais. Elles sautaient sur la moindre occasion pour m'accabler et me faire sentir combien j'étais en discordance avec la vie tradition-nelle, combien j'étais décalée de la réalité. Mes envies de changer leur mentalité, mes désirs d'avoir des rela-tions profondes et utiles, mon besoin de rire et de faire de l'exercice paraissaient totalement incongrus dans un royaume qui semblait uniquement animé par les prières quotidiennes et le respect obsessionnel des commandements d'Allah et des hommes supé-rieurs en hiérarchie. Une jeune personne aimant rire et s'amuser ne pouvait être que mal perçue dans un pays aussi triste où tout le monde s'efforçait d'affi-cher une mine austère et un ton sinistre. Aux yeux des époux saoudiens, j'étais trop rebelle, trop indé-pendante. Et trop différente. Ils interdisaient sou-vent à leurs femmes de me fréquenter. J'avoue que ces femmes n'étaient pas non plus trop pressées de me côtoyer.

J'étais mignonne, pas une grande beauté peut-être mais j'avais, sans le savoir, quelque chose de très sexy en moi. En fait, je n'avais aucune conscience de mon charme, je bougeais naturellement, naïvement, et souvent cela rend plus séduisante que de faire stupidement la coquette. Mais ces femmes ne parvenaient pas à croire que l'on puisse être aussi aguichante sans le vouloir. Comme toute Orientale, je suis conteuse et dans les quelques rares soirées où je me rendais, les gens m'entouraient et m'écoutaient, d'autant que je suis plutôt rigolote. Les Saoudiennes ont toujours pensé que ma manière d'être était préméditée. C'est absolument faux, je ne suis pas calculatrice. Par nature, je suis avenante et gaie, encline à rire. Elles m'en voulaient de cette spontanéité qui pouvait attirer le regard de leurs hommes. Je les provoquais malgré moi. Cette fraîcheur un peu ingénue, dans laquelle elles ne percevaient que machiavélisme, les irritait, car elles y voyaient une remise en cause de leur propre identité.

Désormais, si mon amour pour Amir demeurait intact, son pays m'effrayait. La société tout entière me semblait soudain une vaste prison dans laquelle des milliers de gardiens au visage anonyme m'observaient sans aménité, guettant le moindre faux pas qui trahirait, un fois de plus, mes origines étrangères, mon éducation catholique et mon inexpugnable joie de vivre. La solitude me tuait lentement. Chaque heure de ma vie ressemblait à l'heure précédente, mon imagination était annihilée, tout devenait gris.

À chaque lever de soleil, ouvrant les yeux, je me prenais la tête dans les mains et je me disais : « Oh, mon Dieu, encore la même journée. » Et je Lui demandais d'avoir la force de surmonter ma lassitude et de survivre.

Par bonheur, trois mois après le mariage, je fus enceinte. Et folle de joie ! Depuis toujours, je désirais une grande famille. Cette grossesse a apaisé mes douleurs et rendu mon isolement plus supportable. En outre, comme il n'y avait pas de maternité assez performante en Arabie Saoudite, je suis partie accoucher à Paris. Mon premier enfant, un petit garçon que nous avons prénommé Nayef, est né à peine plus d'un an après mon mariage.

À cette occasion, j'ai passé trois mois en France, période détendue et heureuse. Je retrouvais des amies de naguère, je pouvais me promener, sortir, même m'aventurer dans une salle de cinéma où il m'était pourtant formellement interdit de mettre les pieds. Finie la pression de la société mâle qui obligeait la femme d'Arabie Saoudite à demander l'autorisation de son mari pour tout ce qu'elle avait envie de faire. À Paris, j'avais l'impression délicieuse d'être en harmonie avec les gens et les choses. On ne me regardait plus comme une bête curieuse dont les maladroits coups de griffes risquaient de déstabiliser la religion et la nation. Débarrassée de mon voile, j'étais à nouveau moi-même, une petite fille avide de connaître le monde, happée par la grande ville et ses lumières attrayantes.

Amir me laissait boursicoter, je pouvais acheter, vendre, négocier. On peut s'étonner de cette liberté, mais il faut savoir que, dans la religion musulmane, la femme est sur un pied d'égalité avec l'homme dans le domaine financier. J'avais aussi le loisir de me promener sans voile (à Paris, le contraire eût été surprenant), mais mon mari se montrait parfois ombrageux. Il ne supportait pas, par exemple, que j'aille au cinéma ou chez le coiffeur. L'idée qu'un étranger puisse être assis à côté de moi dans l'obscurité totale ou qu'un autre vienne poser la main sur ma chevelure lui était intolérable, lui qui m'avait proposé cinq cents francs au début de notre rencontre pour que j'aille me faire arranger les cheveux !

Moi, je mettais cela sur le compte de la jalousie mais en fait, après la naissance du bébé, Amir me considéra bien davantage comme une mère que comme une maîtresse. De retour à Riyad, je retrouvai les contraintes d'un milieu rigide. Désormais, j'étais seulement la femme au foyer. J'avais pourtant le désir de rester une épouse avant d'être une mère, mais je n'avais pas la possibilité d'exprimer ce désir car Amir était toujours absent. Alors, devenue femme inutile, je me suis appliquée à être une mère exemplaire. D'ailleurs, la meilleure preuve que je devenais une potiche posée à la maison pour enfanter et prendre soin de mes marmots est que mon prénom avait disparu... On ne m'appelait déjà plus Mouna mais Oum Nayef, c'est-à-dire la mère de Nayef.

Je faisais pourtant des efforts désespérés pour m'adapter à cet univers. Quand mes sœurs venaient me rendre visite, j'exigeais qu'elles revêtent, elles aussi, l'*abaya* et le voile. Elles ne comprenaient pas.

— Tu es devenue pire que ces gens-là, on ne te reconnaît plus ! me disaient-elles.

Pour les convaincre, j'entrais dans de longs discours sur la religion qui assommaient tout le monde. J'ai toujours été quelqu'un de passionné et j'ai constamment fait les choses jusqu'au bout, jusqu'à l'extrême. J'avais choisi d'être citoyenne d'un pays musulman et je voulais vivre en musulmane.

Lorsque je sortais, j'arborais donc invariablement mon lourd manteau noir et le voile, qui me couvraient de la tête aux pieds. Tout un art, de porter cet *abaya* ! Il faut s'enrouler dedans, on ne peut plus rien faire. Moi, je suis active, expansive : mon *abaya* s'ouvrait toujours, et bien sûr c'était indécent, même si j'étais habillée en dessous. Un jour, j'en ai eu assez : je l'ai fermé avec une ceinture Chanel et je suis partie ainsi dans les rues. Un religieux m'a tapé sur l'épaule : cela ne se faisait pas, je ne devais pas porter le manteau traditionnel à l'européenne.

Il y a eu pire... Une autre fois, à Taëf, où nous passions le ramadan à la montagne, je pouvais me promener ainsi vêtue dans les souks entre les heures de la prière. Un jour, j'avais besoin d'une paire de tennis pour mon petit garçon qui venait juste de faire ses premiers pas et, devant un étal, j'ai sorti ma main de dessous l'*abaya* pour toucher innocemment les chaussures. Aussitôt, je vis un gros bâton s'abattre et me frapper les doigts. J'ai levé les yeux : un religieux affreux à la barbe broussailleuse m'observait avec colère. Il m'a expliqué sèchement que je n'avais pas le droit de faire voir ma main, surtout pendant le ramadan. Ces mains que Dieu nous a données pour ressentir le toucher, pour saisir les objets, pour nous guider étaient donc inutiles aux femmes ! Le religieux me parlait avec véhémence de la pudeur, de la réserve féminines... Une main qui sort d'un sac noir n'est pourtant pas très excitante, ou alors il faut être vraiment détraqué !

Je me revis soudain enfant, quand on m'avait battue à l'école des bonnes sœurs. Je me rappelais mon cauchemar de pensionnaire, la cage où l'on me transportait, pauvre bête qui saignait de partout. J'étais à nouveau en cage, une cage dorée où je me sentais injustement traitée et impuissante. La voix de ma conscience qui murmurait que je m'étais trahie s'est réveillée. J'ai pleuré en pensant à ma mère, à mes racines, à mon existence de femme soumise et brimée. À cet instant, tout est devenu noir, l'espoir que je portais encore en moi s'est envolé, mon énergie s'est évaporée. Malgré les difficultés, je croyais encore, jusque-là, pouvoir construire dans ce pays une famille et un avenir. J'avais de multiples projets et de grandes aspirations : je voulais me faire des amies, œuvrer dans le mécénat, m'insérer dans cette société. Un coup de bâton sur la main m'a fait comprendre définitivement que je n'y serais jamais admise.

Ce terrifiant barbu à la vertu un peu trop chatouilleuse appartenait à la police religieuse, une brigade intitulée avec un brin d'emphase : « Commanderie pour la répression du vice et la propagation du bien ». Chargés de pourchasser le péché à travers le pays, ces soldats de la foi sont, dit-on, au nombre de quatre à cinq mille, une véritable armée de fonctionnaires payés par l'administration et plus ou moins bien contrôlés par le ministère des Affaires religieuses. Tout-puissants, ils font régner la terreur de l'intolérance, contrôlent vétilleusement la fermeture des boutiques à l'heure de la prière, veillent à la décence vestimentaire des jeunes filles et traquent le moindre soupçon de mixité dans les lieux publics.

Ce ne fut pas la seule fois que j'eus à subir les foudres de la police religieuse. Plus tard, pour le septième anniversaire de Nayef, j'avais décidé de donner une grande fête comme j'en avais l'habitude. À cette occasion, j'organisais régulièrement, pour mes enfants et leurs copains, des stands multiples avec friandises et jeux d'adresse, le tout disposé autour du circuit du petit train qui traversait la propriété.

On nous avait bien livré le gâteau, mais sans les

bougies... Pas d'anniversaire réussi sans bougies à souffler ! Pour réparer cet oubli, j'ai enfilé à la hâte mon *abaya* sur mes jeans, je suis montée dans la petite Toyota de notre chauffeur libanais et en route pour le magasin Al-Sawani, spécialisé dans les articles pour la maison. En vitesse, j'ai acheté les indispensables bougies.

Comme je sortais de la boutique, un des sbires de la police religieuse aperçut mes jeans sous mon manteau. Fou furieux, il m'a frappé les jambes avec sa baguette, décrétant :

— Les pantalons sont interdits aux femmes, en particulier les jeans !

J'étais pressée. Les enfants m'attendaient. Pour éviter toute discussion, j'ai joué à celle qui ne comprenait pas le dialecte saoudien. Le milicien s'est tourné vers mon chauffeur avec une moue de mépris :

— C'est qui, cette *hourmah* ?

Hourmah... Ce terme désigne une femme de harem ! Une femme qui ne doit pas se montrer en public ! Vu la modeste voiture dans laquelle je me déplaçais, il ne pouvait pas deviner que j'étais l'épouse d'un proche du roi...

Pendant ce court dialogue, j'étais montée dans la Toyota. Le sbire est venu alors, avec trois de ses collègues, frapper à la portière :

— Vous allez nous suivre dans notre véhicule !

Il n'en était pas question. Amir m'avait toujours dit de ne jamais me laisser embarquer dans une voiture de la police religieuse. Il arrivait en effet que de faux « défenseurs de la morale » entraînent de jeunes femmes et leur fassent subir des sévices intolérables. Les miliciens ont tenté de m'emmener de force, mais je les ai cloués sur place en leur disant froidement, et cette fois en arabe :

— Arrêtez. Vous commettez une grave erreur.

— Pourquoi, une erreur ? Qui êtes-vous donc pour...

— Je suis la femme d'Amir Al-Tharik.

Un des conseillers du roi ! Je les ai vu blêmir. Ils sont restés stupéfaits, mais nous ont néanmoins suivi jusqu'à la maison pour contrôler mes dires. Cela fait, ils n'ont plus osé s'en prendre à moi. Ils ont cependant emmené mon chauffeur qui a été flanqué en prison pendant deux jours. Mon mari était absent, et c'est un de ses associés, à la suite de mes supplications, qui est intervenu pour faire libérer le malheureux.

Plusieurs années après, à l'été 1995, j'ai eu de nouveau maille à partir avec ces enragés de la vertu. Je me rendais à l'école américaine pour apporter quelques cadeaux aux professeurs qui quittaient le pays en cette fin d'année scolaire. J'œuvrais beaucoup pour cette école, j'y travaillais bénévolement comme assistante au jardin d'enfants, je connaissais tous les professeurs et les aimais énormément.

Sur le chemin de l'école, isolée dans mon van Che-

vrolet, j'avais cru pouvoir retirer mon voile afin
d'écrire plus aisément quelques mots sur les cartes
qui accompagnaient les présents... Soudain, une voiture de la police religieuse parvint à notre hauteur et
les miliciens nous firent signe de nous arrêter. J'ai
compris qu'ils allaient me « punir » pour le voile
relevé.

— Foncez ! ai-je ordonné au chauffeur.

Il a accéléré. Les miliciens aussi. Nous avons grillé
deux feux rouges, roulant côte à côte... Impuissants
à faire stopper notre véhicule, les gardiens de la foi
crachaient sur ma vitre pour exprimer tout le mépris
qu'ils vouaient à une femme qui osait montrer son
visage. Et je voyais la bave de la haine dégouliner
sur la glace... Heureusement, quand ils nous ont vu
nous engouffrer dans la cour de l'école américaine,
ils ont abandonné la poursuite et ont fait demi-tour,
persuadés sans doute de s'en être pris, par erreur, à
une étrangère.

Ce n'est pas cet islam-là que l'on m'avait inculqué.
Ce n'est pas cet islam au visage grimaçant que j'avais
aimé. Dans ce pays, la femme est considérée comme
une mineure qui n'a le droit ni de conduire une automobile, ni de voyager sans l'accord de son plus
proche parent de sexe masculin, ni d'étudier à
l'étranger sans être flanquée d'un cerbère mâle.
Quant aux piscines et aux courts de tennis, sous
prétexte qu'ils pourraient être le refuge de rendez-

vous galants, ils sont totalement interdits à la partie féminine de la population. Mais cela ne donne qu'une bien faible idée du refus maniaque de la mixité qui domine toute la vie du pays. Dans les jardins zoologiques ou dans les restaurants, dans les écoles ou dans les bureaux, hommes et femmes ne peuvent jamais se côtoyer. Ils doivent demeurer perpétuellement sur deux planètes éloignées l'une de l'autre par les années-lumière de l'intolérance du pouvoir masculin.

Pourtant, jadis, l'enseignement du Prophète a tenté de donner à la femme un statut de dignité. Dans l'Arabie pré-islamique, elle n'était qu'une marchandise que l'on pouvait acheter, vendre, offrir. La naissance d'une petite fille était considérée comme un tel malheur par une famille qu'il arrivait bien souvent qu'on l'enterrât vivante dans les sables du désert. Mahomet voulut changer cette triste réalité. Il donna à la femme une existence juridique. Le consentement de la jeune fille devait être désormais requis pour un mariage, elle pouvait hériter, posséder des biens, exercer un métier. Si le Coran a voulu libérer la femme du VIIe siècle, par quelle aberration en est-on arrivé à cette société saoudienne fermée et si rétrograde ?

Les Saoudiens se veulent fièrement les gardiens d'une tradition stricte et étroite. En effet, la région du Nedjd, dans le centre du pays, est le fief de la secte islamique la plus conservatrice : le wahhabisme.

Au XVIIIe siècle, un prédicateur illuminé, Muhammad Abd al-Wahhab, revenant de Syrie où il avait été initié au message du Prophète, fut choqué et mortifié de voir ses coreligionnaires du Nedjd prendre des libertés avec l'enseignement coranique et observer sans scrupules quelques cultes païens dédiés à la lune, aux étoiles et aux saints locaux. Il prêcha pour le retour à un islam sans tache sur sa terre natale en s'appuyant sur le hanbalisme, doctrine d'un théologien irakien du IXe siècle, Ibn Hanbal, qui avait prôné une fidélité absolue aux règles et aux traditions.

Abd al-Wahhab ne rencontra d'abord que scepticisme, aussi son attitude se fit-elle plus musclée : à la tête de troupes armées, il détruisit des mausolées sur lesquels se rendaient innocemment les populations pour faire des offrandes, ou accomplir des sacrifices d'animaux. En 1745, ce combattant de la foi fit alliance avec le chef de la tribu des Saoud, l'émir du Nedjd, pour lutter avec lui « jusqu'à la victoire ou la mort » afin d'exalter la gloire de Dieu. Un siècle et demi plus tard, en 1902, un des descendants de cet émir, Abd Al-Aziz ibn Saoud, imposa son autorité sur tout le pays et se fit roi d'Arabie Saoudite, dans le respect et le maintien du pacte signé jadis. Le souverain se doit donc, aujourd'hui encore, de défendre hautement ce qui veut être une religion sans faille et sans concession, mais à quel prix ?

J'étais partie dans ce pays pour vivre un grand amour et fonder une famille. Mais peut-on fonder une famille dans une telle atmosphère ? Chez les Saoudiens, la femme semble faite seulement pour leurs besoins sexuels et leur instinct de domination. Elle est surtout faite pour procréer, et si par malheur une épouse ne peut donner naissance à un enfant au bout de deux ans de mariage, elle se voit répudiée et renvoyée chez ses parents.

Ma nature assez extravagante s'est heurtée à des mœurs qui étaient à l'opposé de ma conception de l'existence. J'aurais dû écouter ma mère. Malgré certaines qualités que mon mari daignait me reconnaître, mes défauts demeuraient énormes et rédhibitoires à ses yeux : ma franchise, ma religion d'origine, mon caractère intransigeant, mon indépendance. Quoi que je fasse, je ne pouvais pas le satisfaire. Avec ma mentalité fantasque, j'aurais dû évoluer dans un milieu de producteurs hollywoodiens, entourée de gens aux idées larges qui m'auraient appris la vie, qui m'auraient acceptée telle que j'étais, avec des amies qui m'auraient aidée à me développer. Aujourd'hui, sans doute suis-je parvenue à être cette femme indépendante. Mais la joie m'a échappé. Le poids de la condamnation saoudienne a provoqué en moi trop de douleurs et de blessures, comme si une cicatrice me restait à l'âme, et qui me fait mal malgré mes rires.

On m'a dit si souvent que je ne manquais de rien là-bas, et que je devais être une femme comblée ! Il est vrai que je nageais dans la richesse. D'année en année, Amir et son alter ego Rafic accomplissaient la volonté royale en construisant un Riyad moderne, ville dont la démographie avait explosé en quelques décennies et qui atteignit bientôt plus de deux millions d'habitants. Amir allait vite devenir une des plus grandes fortunes mondiales et notre situation se transformait.

Notre maison fut abandonnée pour un immense palais construit sur trente mille mètres carrés. Comme j'ai dû me battre pour imposer un peu de mes conceptions dans cette vaste demeure ! Je désirais de la sobriété avant tout, j'avais horreur de tout ce que l'on me proposait : le clinquant, le doré qui plaisent tant aux Saoudiens. La partie réservée aux hommes et aux invités n'était pas à mon goût mais je n'ai guère pu y toucher, du moins au début. Les copies des styles Louis XV et Empire, le velours gaufré bleu, une fontaine intérieure et des tentes arabes s'entremêlaient dans un capharnaüm assez hideux. Je voulais, pour ma part, créer une ambiance zen grâce aux lignes épurées des meubles japonais, aussi ai-je réservé à la partie des femmes et des enfants cette atmosphère plus sobre.

Dans le parc, la terre était couverte de travertino, une pierre italienne très résistante qui s'apparente un peu au marbre, et un haut mur séparait le corps principal des dépendances où se situaient le tennis et la piscine. Bientôt, j'ai fait abattre cette séparation et retirer le pavage ridicule, aussitôt remplacé par de la pelouse plantée de quelques palmiers. Le dimanche des Rameaux, ma sœur m'a envoyé du Liban deux branches d'olivier et, comme dans mon enfance chez ma grand-mère, je les ai mises en terre. Si étonnant que cela puisse paraître, les arbres se sont parfaitement acclimatés à la chaleur étouffante du pays.

Plus tard, j'ai imposé ma touche jusque dans les moindres pièces du palais. Je me suis débarrassée des faux Louis XV et des tentures trop chatoyantes. Pour accorder notre intérieur aux paysages et aux traditions de la région, j'ai tout redessiné dans le style mauresque, donnant aux bâtiments modernes une apparence inspirée par l'Alhambra de Grenade avec murs rosâtres, courtines, crémaillères et tuiles rouges. Le palais, à la fois original et adapté aux couleurs de la nature, est devenu magnifique.

Au premier employé libanais que j'avais trouvé à mon arrivée est venue s'ajouter une cohorte de personnel philippin. En effet, une importante immigration venue d'Extrême-Orient fournissait aux riches Saoudiens le service indispensable à l'entretien des résidences. Nous avons engagé un premier couple, puis quatre jardiniers, trois chauffeurs, deux standardistes... Finalement, nous avons eu trente domestiques, une petite troupe parfois difficile à gérer et à qui il fallait tout apprendre. Je devais être la patronne, mais aussi l'enseignante. Les Philippins comprennent vite, j'ai beaucoup aimé travailler avec eux. Certaines Philippines sont devenues mes amies, mes confidentes. Je les ai beaucoup appréciées. Quand je suis partie définitivement, elles voulaient toutes me suivre...

En revanche, certains d'entre eux ont connu en Arabie Saoudite une vie difficile derrière les murs des palais de notre voisinage où ils étaient parfois mal traités. On a parlé de viols, d'incarcérations arbitraires, de famines organisées... Dans ces conditions atroces, certains ont perdu la raison : près de chez nous, un couple saoudien a été massacré par ses employés philippins. Mais avec moi, je crois qu'ils ont été heureux et, en ce qui me concerne, je n'ai jamais eu de réels problèmes. Ce n'était pourtant pas toujours facile de vivre dans une maison avec trente étrangers, le plus souvent sans la présence de mon mari. J'avais peur constamment. Pour un mot un peu trop abrupt − je suis assez autoritaire −, pour une attitude mal comprise, allaient-ils s'en prendre à mes enfants ou à moi ? Je n'osais en parler à personne, je ne voulais pas que l'on puisse se douter que je vivais dans la crainte. Et puis, d'une certaine manière, je faisais quand même confiance à ces gens, qui devaient bien sentir que je les respectais et ne leur voulais aucun mal.

Une seule fois j'ai vu l'un d'eux verser dans la violence. J'étais à Paris avec Maria, la soubrette qui m'accompagnait, son mari et une autre jeune fille à mon service. Je ne sais pas très bien ce qui s'est passé, toujours est-il que, pour une histoire de jalousie, le mari s'est précipité sur la jeune fille en brandissant un couteau. Maria a pu détourner le geste, mais la lame s'est enfoncée profondément dans sa main. Il était deux heures du matin. Heureusement je savais conduire – même si je n'avais pas encore le permis – et j'ai accompagné la malheureuse à l'hôpital. Maria saignait si abondamment que c'en était effrayant : je lui avais bricolé un pansement avec sept épaisseurs de bandage et le sang giclait encore au travers ! Aux urgences, l'interne de service, ne sachant que faire, est allé réveiller un chirurgien qui est arrivé peu après. Le spécialiste a regardé la blessée de haut. Avec une moue dédaigneuse, il m'a demandé :

– Vous m'avez réveillé pour ça ?

Il voulait repartir sans même observer la plaie ! J'ai hurlé, je l'ai insulté et, devant ma menace de déposer plainte pour non-assistance à personne en danger, il a finalement consenti à opérer Maria.

Entre-temps, chez moi, son mari, désespéré par son geste homicide, a voulu se pendre. Heureusement, la corde a cassé, mais il s'est démis une vertèbre et a dû, lui aussi, être hospitalisé. Amir, bien sûr, n'était pas à Paris. Il était à Londres. À son retour, tout était rentré dans l'ordre. Tout mon mariage s'est déroulé ainsi, à m'occuper des miens, de mes enfants, de mes employés, toujours dans la solitude absolue.

*
**

113

Bientôt, nous avons possédé tous les attributs de l'opulence. On me livrait de somptueuses robes de haute couture, j'accumulais des bijoux, et je continuais de porter mon manteau et mon voile noirs. C'était une situation hallucinante : d'un côté, mon mari ne me refusait aucun luxe, de l'autre, je devais perpétuellement me cacher.

Amir, pour sa part, a racheté d'abord le petit avion de Rafic. Ensuite, il s'est procuré un jet Gulf Stream II, plus grand, plus stable, plus confortable, puis un autre et un autre encore.

Il acquit aussi son premier yacht, un bateau construit en 1957, l'année de ma naissance : il y avait un attachement réel, quelque chose de profond entre ce bâtiment et moi. Il avait d'abord appartenu à un certain Ludwig, un riche Américain qui l'avait fait construire au Japon avec des bois aux rares essences, puis à Charles Revson, créateur de la marque Revlon. Quand, à son tour, Amir en est devenu propriétaire, il l'a baptisé *Massarah*, nom de son premier projet de construction en Arabie Saoudite.

C'est sur ce bateau, en septembre 1982, que j'ai vu le roi Fahd pour la seule et unique fois. Nous étions ancrés dans le port de Marbella, en Espagne, quand le monarque s'est annoncé. En prévision de cette visite, les femmes devaient évacuer le yacht et nous sommes allées loger à l'hôtel. J'étais folle de rage : c'était « mon » bateau et je n'avais pas le droit de venir saluer le roi ! En tant que mâle, mon fils Nayef, qui n'avait pas encore trois ans, avait, lui, le privilège de se présenter devant Sa Majesté, mais pas moi...

Alors, je me suis habillée en blanc, comme la nurse, et j'ai conduit mon garçon auprès du roi tout en lui recommandant de faire bien attention à ne pas dire que j'étais sa maman... Heureusement, Nayef a suivi la consigne et nul n'a su qui j'étais, sauf son père qui était fou de rage. Évidemment, personne d'autre ne pouvait me reconnaître puisque d'habitude j'étais constamment voilée.

Si l'on avait su, dans la haute société de Riyad, que j'avais commis l'incroyable faute de me présenter dévoilée devant le souverain, le scandale aurait été terrible. Mais quelle importance ? Pouvait-on me punir davantage qu'en me mettant sans cesse au ban de la société ? Ce qui était fait était fait, et j'avais vu le roi. Je ne voulais pas être constamment le jouet de la décision des hommes. Et ce courage que je montrais à défier en permanence la loi et la tradition m'éloignait chaque jour un peu plus de la communauté saoudienne, et surtout d'Amir et de sa famille.

Il y avait pourtant des entractes de liberté dans cette existence : les déplacements où mon mari acceptait de m'emmener. Mais attention, s'il s'agissait de voyages officiels dans le sillage d'un des princes, les interdits avaient toujours cours. Je devais rester discrète, couverte et transparente.

Je me souviens d'un de ces périples réalisé avec le

prince Salman et une douzaine de personnalités proches du pouvoir. La première étape prévue était au Maroc, un pays qui m'attirait depuis longtemps, et j'ai tant insisté pour être du voyage que mon mari a finalement cédé devant mon obstination. Arrivée à Fès, je pensais pouvoir visiter la ville, mais non ! je devais demeurée cloîtrée à l'hôtel. Les hommes étaient invités au palais, mais je n'étais pas conviée aux agapes, et le protocole saoudien m'interdisait de mettre le nez dehors, même pour faire du jogging. Le Maroc se bornerait donc pour moi à l'horizon de la chambre impersonnelle d'un hôtel international. Le circuit nous conduisit ensuite à Tanger ; l'enfermement devenant insupportable, Amir a bien voulu me faire visiter le marché en catimini pendant que le prince Salman faisait sa sieste... Instants fabuleux ! Couverte de mon voile, j'ai pu faire quelques emplettes, un peu de fromage et de pain, et des souvenirs pour les enfants.

Le lendemain, départ pour Tunis. Dans ce pays, je pensais pouvoir jeter pour quelques jours mon voile aux orties. Veto formel de mon seigneur et maître : une épouse saoudienne en visite officielle devait continuer à cacher son visage. Sur le chemin de l'aéroport à la ville, j'observais avec envie toutes ces femmes habillées à la française, certaines maniant des téléphones portables, d'autres transportant des attachés-cases pour se rendre au travail. À mes yeux, la Tunisie apparaissait comme une image vivante de la liberté, un peu comme mon Liban d'avant-guerre.

Avant tout, je voulais voir les ruines de Carthage. Des légendes entendues dans mon enfance me revenaient à la mémoire. Ne disait-on pas que la cité avait été construite au IXe siècle avant Jésus-Christ par Didon, princesse de Tyr ? Les racines du Liban de ma jeunesse et celles de ces côtes d'Afrique du Nord s'entremêlaient dans un passé commun.

Du tourisme ? Amir s'en étranglait. Nous n'étions pas là pour musarder ! Tout ce voyage allait-il donc se réduire pour moi à passer d'une chambre d'hôtel à l'autre ? Il me fallait prendre le large.

Le lendemain de notre arrivée, mon mari est sorti pour accompagner la délégation saoudienne dans je ne sais quelle visite officielle... À peine avait-il tourné le dos que j'ai sauté en bas du lit et me suis habillée à la hâte d'un jean et d'un tee-shirt. À moi la Tunisie ! Après une brève excursion à Carthage, je suis rentrée par Sidi-Bou-Saïd sur le golfe de Tunis où j'ai plongé avec délices dans le quartier marchand, admirant les ateliers de céramiques peintes si typiques de l'artisanat local.

Soudain, dans une échoppe, je suis tombée face à mon mari et à toute la délégation saoudienne ! Amir m'a regardée avec colère et m'a fait un signe discret pour m'inciter à décamper au plus vite... Moi, je n'avais aucune intention de m'esquiver et j'étais bien tranquille : personne ne pouvait me reconnaître puisque pendant tout le voyage j'avais été voilée. Je me suis approchée innocemment du groupe et j'ai avisé Amir qui tenait en main une poterie colorée :

— Oh, Monsieur, comme c'est beau ce que vous avez là ! Montrez-moi ce que vous avez choisi...

Mon mari devenait de plus en plus rouge, le visage fermé, rongeant son frein pendant que ses compagnons s'amusaient en arabe, persuadés que je ne comprenais pas leur dialecte.

— On dirait que tu as fait une touche, disait l'un.

— Voilà de quoi ne pas t'ennuyer la nuit prochaine, mais il ne faut pas que ta femme le sache, reprenait un autre.

— Mais non, ça doit être une pute, suggérait doctement un connaisseur de l'âme humaine.

Et moi, minaudant, faisant semblant de ne rien comprendre à ce qui se disait, je suivais mon mari pas à pas dans le magasin... Pour terminer, j'ai arrêté mon choix sur quelques poteries et, à la caisse, j'ai désigné Amir du doigt, lançant avant de m'éclipser :

— Vous donnerez la facture à ce monsieur !

Personne n'a compris pourquoi M. Al-Tharik devait payer les achats d'une inconnue croisée dans une boutique de Sidi-Bou-Saïd !

Si mon mari n'a pas apprécié la plaisanterie, le prince Salman, en revanche, s'en est beaucoup amusé. Même s'il était resté silencieux, laissant bien volontiers le quiproquo s'installer, il m'avait reconnue immédiatement : il connaissait mon visage pour m'avoir souvent aperçue chez son épouse où je pouvais me rendre les cheveux couverts certes, mais sans le voile qui transforme les femmes en silhouettes anonymes et lugubres.

Après cet épisode, nous nous sommes envolés pour Londres. Notre délégation devait être reçue à dîner par Margaret Thatcher au 10 Downing Street, et je pensais naïvement que, cette fois, en Grande-Bretagne et chez une femme, j'allais être de la fête. Je me suis pomponnée, j'ai revêtu un tailleur Chanel et j'ai attendu. Mais quand Amir est revenu en début de soirée, il a été estomaqué de me trouver habillée et toute pimpante à une heure où, d'ordinaire, je suis déjà au lit.

— Où vas-tu ? m'a-t-il demandé.

— On va dîner chez Mme Thatcher...

— Depuis quand les femmes saoudiennes sortent-elles avec leur mari ? Que ce soit en Grande-Bretagne, en Amérique ou au bout du monde, elles restent à la maison.

J'ai imploré, plaidé, récriminé. Rien à faire. Je me suis déshabillée et je me suis couchée avec un goût d'amertume dans la bouche, un affreux sentiment d'impuissance.

Et puis soudain Amir redevenait l'amoureux délicat de nos premières rencontres ! Il arrivait les mains chargées de présents, il m'autorisait à sortir faire quelques emplettes dans la ville où nous séjournions, puis nous rentrions à Riyad et le rideau de fer retombait sur nous. J'obtenais parfois la permission de me rendre dans certaines capitales arabes telles que Oman, Bahreïn, Abou Dhabi, villes plus modérées, plus ouvertes que Riyad, et je pouvais y faire un peu de shopping avec une amie. Là, bien sûr, comme toute personne trop brimée, je laissais libre cours à mon exubérance. Parfois, mais rarement, je pouvais aller à Rome chez mon amie Paola et nous allions faire des essayages chez Valentino. Des jeunes gens me courtisaient, je trouvais cela délicieux, sans pour autant céder à leurs avances. Dans ce carnaval de chevaliers servants qui ont traversé ma vie comme des météores, je me souviens du charmant Dino, propriétaire d'une fameuse marque de chaussures.

Je l'ai rencontré à Rome. En quittant les salons de Valentino, Paola et moi étions allées au Caffè Greco et c'est là que nous sommes tombées par hasard sur le beau Dino. Paola me l'a présenté, nous avons sympathisé et sommes convenus de nous retrouver l'été suivant en Sardaigne.

Au mois d'août donc, j'étais à bord du *Massarah* et Dino se trouvait non loin sur un bateau qu'il avait loué. Par radio, il a pris contact avec moi et m'a invitée à dîner au restaurant. J'hésitais. Avais-je le droit d'aller à terre avec un homme ? Tammy, une amie américaine qui m'accompagnait, s'ennuyait à mourir sur le yacht et elle est parvenue à me convaincre.

Vers dix heures du soir, nous sommes sorties discrètement et avons retrouvé Dino sur le port où il nous attendait pour nous conduire en voiture au restaurant. Arrivée sur place, à peine ai-je le temps de m'asseoir qu'on me prévient que je suis demandée au téléphone. Je me lève, saisie d'une peur incoercible, et j'entends à l'autre bout du fil la voix de mon mari : « Tu rentres tout de suite ou tu seras divorcée demain matin ! »

Qui avait pu dire à Amir où j'étais ? Je ne m'étais confiée à personne. Sans doute me faisait-il suivre. Je n'avais donc pas le droit de m'attabler avec ce séduisant jeune homme et Tammy.

Quand je les ai rejoints, me voyant ainsi décomposée, Dino a immédiatement compris. Il a eu cette réflexion :

— Mon Dieu, Mouna, tu as une vie très difficile. Il faut que tu rentres. Allons, nous te ramenons.

J'étais désespérée. J'éprouvais vraiment l'impression de vivre dans une geôle dont j'avais, pour un soir, vainement tenté de m'échapper. Très gentleman, Dino a renoncé au repas et m'a ramenée au bateau. Par la suite, pour me préserver, il ne m'a jamais rappelée. Je l'ai revu bien plus tard, aux noces d'un ami commun. Les jeunes mariés nous avaient offert des petites porcelaines sur lesquelles était inscrit « Pour Dino » et « Pour Mouna »... Geste tendre et amical, Dino a fait l'échange des cadeaux. Il a pris le mien et m'a donné le sien en précisant :

— Comme ça tu penseras à moi tous les jours.

Voilà toute mon histoire d'amour avec le cher Dino. Du fond de mon cachot, il gardait une place particulière. Celle d'un jeune seigneur qui avait tenté, l'espace d'un instant, de me faire connaître l'air enivrant de la liberté.

Si je transportais avec moi une prison mentale, tout était encore pire à Riyad. Privée des réceptions dans les salons des ambassades le plus souvent réservées aux hommes, il me restait néanmoins les soirées destinées aux dames. Je dois dire qu'au début, je m'y rendais volontiers. Là, débarrassée du voile, j'ai pu approcher au fil des visites officielles la princesse Diana, la reine Nour de Jordanie et, enfin, Margaret Thatcher que je n'avais pu saluer lors du voyage à Londres.

Quand aucune prestigieuse invitée n'était annoncée, les femmes du gotha saoudien se réunissaient entre elles. Et moi, je traversais cette société sans savoir chez qui j'étais reçue ! Le roi Fahd a eu trente-cinq frères auxquels il faut ajouter des hordes de fils, de filles, de neveux et de nièces. Comment se retrouver dans cet imbroglio de princesses, filles ou épouses de princes, qui ont souvent le même prénom, le même visage, la même allure ? Le souvenir des inévitables Madawi, des innombrables Lulua et des multiples Jawhara s'embrouille dans ma mémoire. Un véritable blocage.

Dans leurs palais, les princesses recevaient de la même manière, parfois sous une tente dressée dans le jardin en hiver et dans le salon en été, évocation luxueuse et extravagante des origines nomades de la dynastie. Il fallait s'accroupir et j'en étais tout à fait incapable. Demeurer assise sur son séant, les jambes croisées, demande une longue pratique que je ne possédais pas. Alors je restais debout, un peu godiche, mal à l'aise, complètement incongrue dans ma robe parisienne. Ces soirées étaient pour moi un calvaire ! Le repas lui-même m'était insupportable : l'odeur de l'agneau trop bouilli, celle des épices trop longtemps macérées me donnaient la nausée. Comme une petite fille malheureuse, je sanglotais devant un plat que la bienséance m'obligeait à ingurgiter et je me répétais en moi-même ces mots qui ponctuaient ma vie saoudienne : « Mange tes larmes, Mouna, mange tes larmes... »

Pourtant, crédulité folle ou naïveté récurrente, j'espérais trouver un souffle d'air frais à chaque invitation. Je me faisais élégante, je ne sortais jamais de chez moi pour ces soirées sans être impeccable. Je choisissais l'une de ces robes haute couture que j'accumulais à chaque saison et je la revêtais lentement, précautionneusement, en un vrai cérémonial. Je croyais ainsi me rapprocher de ma mère trop tôt disparue, je lui parlais, je lui demandais son avis. Elle me conseillait d'une certaine manière et je communiquais avec elle.

C'est évidemment grâce à mon mariage que j'ai pu devenir cliente de la haute couture, mais ce n'est pas mon mariage qui m'en a donné le goût, je le tiens de ma mère depuis l'âge de quatre ans. Pour elle, la haute couture était l'expression suprême de la féminité, l'art de la beauté, du corps. Elle était fascinée par les formes. Si elle ne s'intéressait guère à la peinture, elle adorait la sculpture antique. Ce penchant provenait sans doute de ses racines phéniciennes. Quand on visite les sites historiques de mon pays, on ne voit pas de tableaux, pas de dessins, mais uniquement des statues magnifiques, des corps magnifiés. Dans les ruines de Tripoli, de Byblos, de Baalbek, de Saïda, de Tyr, on trouve des formes sublimes, des robes superbes taillées dans le marbre ou coulées dans le bronze. Je pense que j'ai hérité de cet attachement pour la beauté formelle, et c'est une des raisons de ma passion pour la mode. Ma mère avait toujours rêvé de me voir dans des toilettes de haute couture, mais lors de mon adolescence la mode des hippies m'attira vers d'autres horizons, puis la période étudiante avec jeans et gros pull m'imposa d'autres préoccupations. Après mon mariage, ce fut différent, mais maman n'était plus là.

On l'a vu, j'ai commencé à m'acheter de la haute couture au moment de mes noces. Ensuite, j'ai été enceinte très rapidement et je me suis commandé des robes de grossesse de chez Dior. Personne n'avait fait ça. Aucune épouse ne dépensait vingt mille dollars pour une robe destinée à n'être mise que durant quelques mois. Mais pour moi c'était de l'art, des pièces de collection. La haute couture n'est pas seulement une frivolité pour dames fortunées : c'est l'éternel féminin exalté. Et même si les occasions de porter mes toilettes m'étaient comptées, elles me procuraient le bonheur, juste parce qu'elles étaient près de moi, m'apportaient de la beauté, de la créativité, et me rappelaient cette vocation de styliste dont j'avais tant rêvé mais que je n'avais pu accomplir.

À Riyad, dans ces assemblées de femmes qui ne savaient pas s'habiller et se contentaient de faire tailler leurs vêtements par des couturiers libanais, indiens ou pakistanais, je suscitais évidemment de nombreux commentaires. Parfois acerbes. Je choquais parce que j'étais originale. Dans une société aussi mortifère que celle de l'Arabie Saoudite, tout ce qui était hors norme se trouvait violemment rejeté.

Ces dames voulaient pourtant savoir d'où venaient mes tenues. Je leur parlais alors de Christian Dior, d'Yves Saint Laurent ou de Patou (qui existait encore). Je prononçais des noms totalement inconnus sous ce climat. Pourtant, avec les années, leur goût a commencé doucement à évoluer. Et je peux dire que j'ai été de celles qui ont introduit la haute couture parisienne à Riyad. Maintenant, les choses ont bien changé. Ne dit-on pas que les Saoudiennes font désormais vivre la haute couture française ?

J'achetais une dizaine de robes par collection, mais je les portais si rarement, même en dehors de Riyad !

Quand j'étais invitée à une soirée mondaine, aux États-Unis, à Paris ou à Monaco, aucune d'elles n'était adaptée à l'épouse saoudienne que j'étais devenue. Celle-là était trop serrée, telle autre trop légère ou trop décolletée. Si je m'en étais revêtue dans une soirée mixte, je me serais attiré le courroux de toutes les Saoudiennes qui n'auraient vu là que perversité. Comme je tenais plus que tout à conserver les modèles tels qu'ils avaient été dessinés, sans les faire retoucher pour qu'ils couvrent mes épaules et mes bras, je renonçais à paraître et je me cloîtrais.

Si j'étais absolument déterminée à ne pas transformer les modèles, c'est que je voulais respecter les créateurs et les créations, même au prix de mon enfermement. J'ai réussi ainsi à amasser une collection fabuleuse de pièces originales, jamais retouchées, jamais portées. Tout récemment, quand j'ai quitté l'Arabie Saoudite pour toujours, quand j'ai commencé à sortir avec des amies américaines ou françaises, j'ai pris la liberté de m'habiller parfois avec l'une ou l'autre de ces robes sorties de mes placards.

Mais à l'époque, même Amir était affolé à l'idée de me voir transgresser les règles du « rien ne dépasse » en vigueur chez les femmes saoudiennes. Un bras nu, un décolleté, et c'était la porte ouverte à toutes les dérives !

Un soir, nous étions allés dîner chez *Rampoldi*, un restaurant de Monaco. J'étais si heureuse de sortir du bateau et de me mêler au monde ! J'étais élégante, mais sans réelle extravagance, et à peine étions-nous arrivés au restaurant, un ami de Paola est venu me saluer, me disant combien j'étais belle, bavardant de tout et de rien sans prêter attention à mon mari. Comment contrôler un Italien devant une élégante jeune femme ? Amir n'a pas supporté : nous avons quitté le restaurant sans manger. De retour sur le bateau, mon cher époux est entré dans mon dressing-room et il a lacéré toutes les robes qui lui tombaient sous la main, des Valentino brodées, des Dior, des Saint Laurent ! Quand j'ai vu ce gâchis, folle de rage, je me suis saisie d'une paire de ciseaux et j'ai méthodiquement mis en lambeaux ses costumes Lanvin et ses robes saoudiennes. Ensuite, je me suis jetée sur lui pour découper même la robe qu'il portait. Paniqué de me voir les ciseaux à la main, il ne bronchait pas et me laissait faire. S'il avait bougé à cet instant, je crois que je l'aurais tué !

Après cette scène mémorable où nous nous étions comportés l'un et l'autre comme des gamins inconséquents, je me suis retrouvée avec une partie de ma collection déchirée. Je n'ai pas osé rapporter les pièces endommagées aux maisons de couture. Comment aurais-je pu leur expliquer un tel massacre ? Patiemment, une de mes plus précieuses employées, particulièrement douée, les a toutes réparées, passant presque trois mois à les recoudre point par point.

En 1982, j'accouchais à Paris de ma fille Louloua, notre deuxième enfant. Amir m'avait accompagnée et nous retrouvions notre appartement du boulevard Lannes. C'est là que le malheur absolu est venu me surprendre.

J'étais très inquiète pour mon fils Nayef qui venait juste d'avoir trois ans. Je ne comprenais pas : il avait sans cesse de la fièvre, il toussait, il était terriblement faible et d'une pâleur inquiétante.

Au mois de février, une amie, Marlène, m'a envoyé sa pédiatre. Quand celle-ci est arrivée, un seul regard lui a suffi, elle a compris immédiatement ce dont souffrait l'enfant. Mon fils était tellement blanc ! Elle m'a seulement annoncé qu'il fallait effectuer d'urgence une prise de sang. Il était huit heures du soir, elle a contacté un laboratoire de veille et l'infirmier est venu aussitôt.

Le lendemain matin à neuf heures, la pédiatre m'a appelée : mon fils était au plus mal. Une grave maladie... Elle m'a annoncé cette terrible nouvelle au téléphone, brusquement, sans précaution... J'ai senti toutes mes forces m'abandonner, mes jambes se paralyser sous le choc, la peur et l'angoisse s'insinuer dans mes veines. Je regardais mon petit, si vacillant, si fragile soudain. Allait-il souffrir, rester malade longtemps, nous quitter ? Que pouvait-on faire ? Encore une fois, Amir était à Londres. J'ai subi ce choc seule, dans le désespoir absolu.

Quand mon mari a appelé, je lui ai dit qu'il devait venir tout de suite à Paris car la pédiatre de Nayef avait à lui parler de vive voix. En effet, je n'ai pas eu le courage de lui révéler la vérité. J'avais si peur de lui annoncer ce malheur que j'avais demandé au médecin de venir le voir et de tout lui expliquer.

Amir est arrivé le soir même et la pédiatre parla donc à ma place. Mon mari était blême, défiguré par le désespoir.

— Je vais l'emmener en Arabie Saoudite, déclara-t-il d'une voix glacée. On rentre demain.

J'aurais voulu lui dire qu'il valait mieux rester en France ou aller en Amérique, qu'il y avait peut-être des traitements de pointe, que notre fils n'était pas fatalement condamné... Mais l'émotion et la détresse me nouaient la gorge.

C'est ainsi que je me suis retrouvée dans l'avion, volant vers l'Arabie Saoudite en me demandant ce que je faisais là, au lieu d'aller vers un endroit où l'on pourrait sauver mon petit.

Arrivé à Riyad, Amir s'est enfermé dans la chambre avec le petit dans ses bras. Ne sachant à qui me confier, j'ai tenté d'appeler le roi Fahd. Il m'a fallu deux jours pour avoir enfin le chef du protocole au bout du fil. Je lui ai dit que mon fils était gravement malade, qu'il allait peut-être mourir, que des amis américains m'avaient informée qu'il existait à Memphis un hôpital spécialisé où je pourrais emmener mon enfant pour tenter de le sauver... Par cet intermédiaire, j'envoyais un appel au secours au roi qui ne me connaissait pas, puisque quelques mois plus tôt il ne m'avait pas reconnue sous ma robe d'infirmière. Mais il savait que j'étais l'épouse d'Amir, son conseiller très proche et son ingénieur de prédilection.

Cinq minutes plus tard, le roi téléphonait à mon mari.

— Écoute ta femme, décréta-t-il. Les mères ont généralement les intuitions nécessaires pour sauver la vie.

Ces mots prononcés par le monarque étaient un ordre. Grâce à cette intervention, nous avons pu partir pour les États-Unis où, effectivement, Nayef allait être soigné, et définitivement guéri, après un combat de plusieurs années.

V

LE PRIX DE LA LIBERTÉ

Nous sommes arrivés à Memphis au début du mois de mars 1983. J'allais y rester plusieurs années, séjours ponctués de réguliers allers et retours pour Riyad où nous devions rentrer pour des raisons de visas et de passeports.

Nayef a immédiatement été admis à l'hôpital pour un traitement très dur. Par la suite, il a poursuivi les soins, mais en tant que malade extérieur. Je m'étais installée à l'hôtel avec la petite Louloua, qui n'avait pas trois mois, mais je passais mes journées auprès de mon fils. On m'amenait le bébé pour que je puisse l'allaiter, et le reste du temps, toujours habillée d'une blouse blanche d'infirmière, je faisais le clown pour mon enfant malade, je chantais, je dansais, je riais. Les gens pensaient que j'étais folle. Amir est resté un mois avec nous puis est reparti pour s'occuper de ses affaires.

Nayef me surprenait par sa vaillance. Il acceptait le traitement sans gémir, sans se rebeller, et je voyais

– ou croyais voir – dans son regard noir déjà si fier une sorte de détermination. J'en parlais à son père quand il venait nous rejoindre, j'assurais à Amir que Nayef guérirait un jour. J'essayais de consoler le chagrin muet de mon mari, qui venait en outre de perdre son père. J'eus bientôt, d'ailleurs, une heureuse nouvelle – enfin ! – à lui annoncer : j'étais de nouveau enceinte.

L'été de cette année-là, je suis allée passer une quinzaine de jours sur le bateau avec les deux enfants et, au mois d'octobre, nous étions tous de retour à Riyad. Je restais confinée avec Nayef dans notre palais car les médicaments dont on gavait mon fils affaiblissaient ses barrières immunitaires. Souvent il avait la grippe, des poussées de fièvre, de petites affections, et je devais le protéger. Il ne pouvait pas aller à l'école ni recevoir des professeurs et c'était moi qui lui apprenais l'arabe, le calcul... J'étais tout à la fois sa maman, son infirmière et son institutrice. Avec cet enfant, j'ai passé alors toutes les heures de la journée, toutes les heures de la nuit.

En janvier 1984, mon fils a attrapé une bactérie. Les médecins ont essayé tous les traitements, tous les antibiotiques, toutes les injections mais sa température continuait à monter... Il a fallu le transporter à l'hôpital de Riyad pour permettre aux équipes soignantes d'exercer une surveillance constante. Il ne pouvait pas être hospitalisé avec les autres petits malades dans l'aile réservée aux enfants. Ils nous ont donc placés dans une caravane avec air conditionné, garée sur le parking de l'hôpital.

La fièvre ne tombait pas. Je ne comprenais pas ce qu'on faisait encore dans ce pays, pourquoi on n'emmenait pas mon fils de nouveau aux États-Unis. J'en parlais sans cesse à mon mari qui avait fait venir un spécialiste de Memphis, et prétendait que par ailleurs nous avions à notre disposition le meilleur hôpital et un pouvoir absolu. Que pouvais-je répliquer à cela ?

L'état de Nayef ne s'améliorait toujours pas. Finalement, le médecin a décidé qu'il était préférable que nous rentrions à la maison poursuivre le traitement, car cette caravane n'était peut-être pas vraiment saine pour l'enfant. Nous avons donc entrepris des soins à domicile, dans une pièce aseptisée. Mais rien ne changeait, la température ne chutait pas. Amir devait impérativement partir à Genève puis à Hambourg en voyage d'affaires. Pour ma part, je restais dans notre infirmerie à veiller sur Nayef.

Une nuit de février, alors que le petit venait juste d'avoir quatre ans, je l'ai trouvé brûlant et en pleurs. Il souffrait visiblement, quelque chose lui faisait mal. J'ai aussitôt appelé le médecin qui s'est précipité et m'a déclaré très honnêtement :

— Vous savez, Madame, bien que ce soit un des meilleurs hôpitaux au monde et que je sois un bon médecin, à mon avis il vous faut repartir aux États-

Unis. On a tout essayé. Je crains qu'ici l'on n'arrive pas à bout de cette bactérie.

J'étais enceinte de huit mois, mon mari était absent, je ne pouvais prendre un avion de ligne avec un enfant aussi malade et je ne pouvais pas non plus trouver un avion privé qui accepterait de décoller avec une femme sans la permission de son époux. J'étais folle de rage et de désespoir, j'allais perdre mon aîné, et il fallait compter encore vingt heures de vol, vingt heures de fièvre, avant d'arriver à Memphis.

J'ai passé toute la nuit à chercher mon mari, je l'ai finalement joint à l'autre bout du monde vers quatre heures du matin. Il nous a donné son accord. Alors Rafic H. nous a prêté son jet qui nous a emportés à Paris et celui de mon mari nous a rejoints là-bas pour nous conduire jusqu'à Memphis. Une ambulance nous attendait à l'aéroport et Nayef a été pris en charge immédiatement. À l'hôpital, le médecin a consulté la liste des médicaments que le petit avait absorbés et a eu cette réflexion :

– Je ne peux rien vous garantir. Il a tout pris comme antibiotiques. Il est très difficile de traiter conjointement sa maladie initiale et cette bactérie...

De nouveau, le petit a subi un traitement de choc, une thérapie affreusement douloureuse, et j'ai bien du mal à évoquer les souvenirs de cette période terrible...

J'ai vécu entre l'hôtel et l'hôpital pendant un mois, puis j'ai cherché une maison à côté de la clinique où je devais accoucher. Il n'était pas possible de mener la vie d'hôtel avec un enfant malade, un bébé à quatre pattes et un autre sur le point de naître. J'ai donc acheté une maison dans River Oak, le quartier prétendument chic de la ville. C'était une bâtisse très américaine, très simple, tout en bois. Nous étions bien loin du luxe extravagant de notre palais de Riyad, la plus belle demeure que j'aie jamais habitée, la plus malheureuse aussi.

L'acquisition de la maison représentait une économie, l'hôtel où je logeais auparavant étant hors de prix. J'aurais dû faire cette opération dès notre arrivée, mais je n'avais pas eu le temps de réagir, je n'étais pas parvenue à prendre les bonnes décisions, bousculée par la maladie de mon fils et la naissance de la petite. Désormais, j'allais mieux et, grâce à l'Islam qui permet à la femme de commercer, je pouvais gérer notre vie financière outre-Atlantique toute seule.

Dans cette maison de Memphis, j'allais vivre les plus beaux moments de ma vie de mère. Nayef commençait à récupérer des forces, le traitement devenait de moins en moins lourd, j'étais un peu apaisée.

Ma fille Louloua me comblait de bonheur, et mon deuxième garçon, Fayçal, allait naître à Memphis en 1984.

Le drame absolu de la maladie m'avait fait sortir d'Arabie Saoudite, et ce dépaysement allait avoir de lourdes conséquences sur notre couple, sur ma façon d'envisager l'existence et sur la résurgence de mon besoin d'exister.

Au début je n'ai rien vu de Memphis, je m'occupais entièrement de mon fils et je ne parlais pas l'anglais, ou si peu. Ensuite, l'hôpital s'est occupé de nous trouver un professeur, une femme adorable, Robin Walters, qui nous a appris à tous deux la langue du pays. Et en quelques mois, je suis devenue une vraie Américaine ! J'ai absorbé la culture, le mode de vie et l'esprit des États-Unis.

Quand mon aîné s'est un peu rétabli, quand il a pu quitter l'hôpital, Robin nous a emmenés visiter Memphis, un parc immense comme je n'en avais jamais vu, un lac où l'on pouvait pêcher la truite, la maison d'Elvis Presley... Robin nous a fait découvrir un monde inconnu. Memphis me redonnait l'espoir et me faisait recouvrer une joie de vivre que je ne me connaissais plus. J'ai ressenti un véritable coup de foudre pour cette ville. Memphis a contribué à ce que je devienne de plus en plus indifférente aux absences de mon mari car je goûtais aux charmes d'une autre existence. Des bonheurs tout simples, les balades avec les enfants, le roller, le patin à glace, le restaurant, la musique. On vivait « normalement » et je pouvais sortir sans me voiler.

Avec l'aide de Robin, j'ai pu aussi passer le permis de conduire, ce qui a changé ma vie. J'ai acheté une Porsche et je partais dans la nuit à la découverte de la ville. J'adorais piloter une voiture, ce qui m'était interdit en Arabie Saoudite. Je m'arrêtais près de Beal Street, la grande rue centrale et piétonne qui va du Mississippi jusqu'au centre de Memphis. C'est une artère animée où l'on ne trouve que des bars avec des *bands* qui jouent du blues, du rock 'n' roll, du jazz. Les gens boivent et écoutent de la musique dans une ambiance jeune. J'adorais le blues et je passais des instants merveilleux dans ces gargotes. À la maison, mes enfants étaient sous bonne garde et je pouvais m'octroyer ainsi quelques moments de détente. Une amie, Julie, m'accompagnait toujours. Bien entendu, Amir n'était pas au courant de ces virées nocturnes. Il était si loin, si absorbé par ses affaires, souvent injoignable. Et moi, après cette terrible épreuve de la maladie de mon fils, j'avais soif de me distraire...

Je n'oublierai jamais la première fois que l'on a fêté Halloween. Ma sœur Samia était venue me voir et nous nous sommes tous costumés pour aller déambuler dans Beal Street. Samia était déguisée en canette de bière, mes enfants et les siens en personnages de la famille Simpson, un de nos employés barbus en religieuse, moi j'étais en Madonna. Qu'est-ce qu'on s'est amusés ! Pourquoi ces jours-là ne reviennent-ils plus ? Aujourd'hui, si je sors encore parfois, je ne retrouve pas ce simple bonheur convivial qui me rendait si heureuse à Memphis.

J'étais joyeuse et excentrique... Un peu trop. Il faudrait toujours se méfier de ce que cachent certaines exubérances. En fait, sous cette apparence d'hypergaieté, je cachais une dépression. Après les chocs successifs de mon amour emprisonné, de la mort de ma mère et de la maladie de Nayef, j'étais devenue d'un coup gravement dyslexique. Je ne parvenais plus à lire, je déchiffrais les mots mais je n'arrivais pas à faire la connexion entre les parties d'une phrase et à dégager le sens d'un texte.

Je sortais avec des cheveux fuchsia, jaunes ou verts, suivant les couleurs de mes vêtements, je faisais des folies et tout le monde pensait que j'étais originale. Qui voulait comprendre que j'étais simplement sans repères ? J'avais quitté le Liban et laissé là-bas ma famille, mon conte de fées avec Amir s'était évanoui derrière les hauts murs de Riyad, mon premier enfant avait failli mourir et je ne pouvais pas m'empêcher de trembler pour lui, malgré l'amélioration de son état. Mon mari était loin, j'étais seule dans une contrée certes accueillante mais où je ne comptais pas d'intimes, et qui étais-je, moi, dans tout cela ? Je n'avais rien, personne, à quoi ou à qui me raccrocher. Alors je remettais des couleurs à mes cheveux, je dansais, je faisais n'importe quoi, sans doute pour n'avoir pas à penser. Comme j'ai toujours été fantaisiste, chacun croyait que ma personnalité s'exprimait, à Memphis, avec un peu d'excès, voilà tout. Mais quand même : si une mère de trois enfants se teint les cheveux en vert pomme pour assortir sa coiffure à son tee-shirt, c'est que quelque chose ne va pas.

Personne n'a fait attention à ces signes et la dépression s'est développée. Souffrant de troubles maniaco-dépressifs, je passais du bonheur total au malheur extrême en très peu de temps. Et les deux pôles sont absolus : quand on est dans le gouffre, c'est l'horreur ; quand on est heureux, c'est vraiment merveilleux ! Je pourrais presque dire que je préfère la dépression non soignée, car j'ai connu dans cet état des moments exceptionnels : la moindre ritournelle me bouleversait. Aujourd'hui, je suis traitée au Prozac depuis quinze ans et je ne connais plus ces moments d'euphorie. Je n'écoute plus de chansons d'amour, je n'allume jamais la télévision, j'ai perdu un peu de ma sensibilité.

À Memphis, j'ai connu les bonheurs de la vie, avec des petits riens, une existence beaucoup plus simple que celle que je menais à Riyad, mais tellement plus joyeuse. J'étais folle de cinéma. Je pouvais aller voir trois films à la suite, m'empiffrer de pop-corn et rentrer chez moi, ravie. Cela me suffisait, j'étais la femme la plus heureuse de la Terre.

Dans ce monde où je me sentais si bien, mon mari,

quand il venait nous voir, me paraissait mal à l'aise. Un soir, j'ai invité à dîner les médecins de mon fils et leurs femmes. Amir était là, morose, incongru. Il ne se mêlait pas à la conversation. Pour le dessert et le café, nous sommes sortis sur la terrasse et il est resté seul à l'intérieur... Il n'a parlé à personne, il était comme absent. Regrettait-il son milieu saoudien, où tout le monde l'écoutait et où quand il faisait une blague chacun se forçait à s'esclaffer bruyamment ? Là-bas, il avait l'oreille du roi, il était proche du pouvoir. Ici, il n'avait plus de cour, les gens étaient égaux, s'exprimaient brillamment et personne n'avait la vedette. Est-ce pour cela qu'Amir ne revenait à Memphis que tous les quatre mois ?

À Memphis, l'amour que je portais à mon mari s'est étiolé. J'ai pris clairement conscience que d'autres possibilités m'étaient ouvertes. Un changement s'est opéré dans mon attitude et dans ma manière de voir les choses. Tout d'un coup, je rencontrais des médecins, des professeurs, des infirmières, des gens de grande qualité, et je comprenais que j'avais plus à apprendre d'eux que de mes fréquentations de Riyad. Bien sûr, j'aimais encore Amir, il était le père de mes enfants, mais il ne se montrait plus aussi amoureux... Un peu, je suppose, comme les marins lorsqu'ils rentrent au port. Comment vivait-il loin de moi ? La jalousie me rongeait le cœur. Dans mon esprit commençait à se répandre un poison insidieux, celui des remises en cause et des questions douloureuses.

Et puis, il fallait régulièrement rentrer en Arabie Saoudite. Là-bas, je tournais en rond comme un animal en cage, le choc culturel et l'effort de la réadaptation devenaient de plus en plus difficiles. La vie dans le palais de Riyad était pour moi comme une mort lente. Il me fallait une énorme force intérieure et une puissante personnalité pour survivre. Cette société obsédée par la religion me devenait insupportable, après la liberté et la tolérance de Memphis. Je ne voulais pas prier cinq fois par jour et je ne supportais plus d'entendre le muezzin vociférer de sa mosquée tous les vendredis à midi ses insanités haineuses contre les femmes, les Juifs, les Américains, les Français et tous les infidèles de la Terre, c'est-à-dire les non-musulmans.

Je ne voulais plus rien avoir de commun avec ce pays. Après Memphis, je m'en sentais très distante, alors qu'au début j'avais voulu en être très proche. Mes enfants étaient à l'école américaine, premiers Saoudiens à être autorisés à suivre les classes de cet établissement étranger. J'avais d'abord demandé à mon mari d'intervenir auprès du roi, pour accorder la permission à mon fils malade de s'y rendre : il ne pouvait rester trois mois dans le système saoudien et s'adapter ensuite aux programmes américains. Le roi a donné à Nayef l'autorisation d'aller se mêler à la communauté américaine, puis à ma fille, et tous mes enfants ont suivi. Ils ont été des pionniers :

maintenant, les élèves saoudiens sont de plus en plus nombreux à l'école américaine. À l'époque, en revanche, la fréquentation de cette institution était strictement interdite, et cela pour deux raisons : d'abord parce que les Américains sont considérés comme des infidèles et ensuite parce que les classes sont mixtes. Dans la mentalité saoudienne, garçons et filles doivent être tout à fait séparés. Si ma fille, qui vit aujourd'hui aux États-Unis, revient un jour en Arabie Saoudite, elle ne trouvera jamais de mari là-bas, elle a fait des études dans une école américaine, elle a côtoyé des Américains, elle s'est assise sur les bancs à côté d'un garçon américain, elle a rigolé avec un Américain, elle ne s'est pas couvert la tête, elle a peut-être dansé... Des femmes ayant mené une telle jeunesse sont considérées comme des filles perdues. D'ailleurs, si des Saoudiens envoient maintenant leurs garçons dans cette école, seuls les gens évolués, désireux de progrès, acceptent que leurs filles la fréquentent. Louloua est sans doute l'une des rares Saoudiennes à avoir pu bénéficier de cet enseignement.

Heureusement, nous retournions souvent aux États-Unis. L'Amérique m'a ouvert de nouveaux horizons, surtout dans la façon de considérer mon mariage qui désormais me faisait peur, et l'éventualité d'un divorce qui m'effrayait encore davantage.

Les absences de mon mari devenaient plus supportables, moins cruelles. La vie prenait un nouveau sens. Autant je détestais le palais de Riyad, autant j'adorais la maison de Memphis. Les enfants aussi s'y trouvaient bien, malgré la maladie de mon fils. On vit mieux malade aux États-Unis qu'en bonne santé en Arabie Saoudite.

Memphis m'a redonné une image de moi que j'avais étant enfant, mais que la mentalité saoudienne avait tuée. Dans la classe d'aérobic j'étais la meilleure, dans les cours de chant le professeur m'appréciait et envisageait même pour moi une carrière. Memphis a provoqué une résurrection de ma personnalité qui pourrissait à Riyad dans la solitude et le chagrin. À Memphis, je me suis découvert des talents, une personnalité proche de celle que ma mère aimait tant lorsque j'étais petite, un caractère farouche et indépendant qui s'était endormi après mon mariage. Tout m'est revenu aux États-Unis, ma force mentale s'est développée, et le fait d'avoir contribué à sauver mon fils m'a rendu la confiance en moi.

Memphis m'a émancipée, m'a donné le courage d'élever une famille entière, Memphis a révélé ma vraie nature et m'a ouverte à une nouvelle dimension. Memphis garde dans mon cœur une place privilégiée.

Là-bas, j'ai adoré la musique, j'ai adoré la danse, j'ai adoré Madonna. C'étaient les années quatre-vingt, la culture américaine explosait. Madonna, par ses folies et ses excès, émancipait les femmes. Elle parlait crûment de sexe et dansait lascivement dans ses clips. Découverte stupéfiante : une fille qui avait exactement mon âge s'éclatait sur tous les écrans, affichait sa liberté et vendait des millions de disques ! Elle me fascinait. Je la voyais si belle, si épanouie. Moi, au même âge, je n'étais qu'une mère de famille dont la jeunesse se fanait déjà. Madonna représentait à mes yeux l'émancipation féminine dans tout son corps et dans toute son âme. Alors que j'avais le sentiment de lui ressembler, je savais qu'avec mon mariage j'étais devenue son contraire : une femme emprisonnée, mal comprise, mal aimée.

Madonna est devenue ma sainte Vierge. Signe de rejet de ma situation et de la culture orientale, je m'habillais comme elle, je me coiffais comme elle. Depuis mon mariage, j'avais essayé d'être ce petit ange qui acceptait tout et qui avait même appris à cuisiner. Grâce à Madonna, je devenais une Américaine mal élevée qui ne voulait rien écouter et désirait vivre à sa guise. Madonna a été en partie responsable de ma libération et de mon refus grandissant de mon sort.

Quelques années plus tard, j'ai eu la chance de rencontrer mon idole tout à fait par hasard. Nous étions à Los Angeles pour un gala en faveur de l'hôpital où était soigné mon fils. En arrivant en Californie, j'ai entendu parler de Jane Fonda et de son club d'aérobic, situé Robertson Boulevard, à quelques pas de l'hôtel où j'étais descendue avec mon mari et mes enfants. Je suis allée m'y inscrire et, comme j'étais très sportive, j'ai demandé la leçon la plus difficile, celle qui commençait à cinq heures du matin et que donnait Jane Fonda elle-même. Les séances étaient destinées d'une part aux fous de l'exercice qui travaillaient et devaient se rendre tôt à leur bureau et, d'autre part, à des stars hollywoodiennes qui, aux heures opalines du petit matin, cherchaient et trouvaient là un peu de tranquillité, loin des fans et des sunlights. Mon mari, qui dormait à cette heure-là, ne pouvait pas s'apercevoir de mon absence.

Au cours, il y avait quelques vedettes comme Kim Basinger et une poignée d'inconnus. Pour ma part, je me trouvais régulièrement à côté d'une petite jeune femme toute maigre, vêtue à la va-vite, portant toujours le même collant déchiré. Un détail surprenant car toutes les autres, en particulier Jane, faisaient de grands efforts de toilette et portaient d'impeccables collants aux couleurs vives. C'était ahurissant : cette fille arrivait tous les jours avec son collant déchiré, je finissais même par me demander si elle le lavait de temps en temps.

Le cinquième jour, nos exercices devaient se pratiquer sur la musique d'une chanson que j'adore, *I'll dress you up with my love* (Je t'habillerai de mon amour). À peine les premières notes sorties des baffles, tout le monde s'est retourné vers cette fille maigrelette... Elle a dansé seule, admirablement, merveilleusement. Alors seulement je l'ai identifiée : cette inconnue au collant troué, c'était Madonna ! Pendant quatre jours, j'avais été à côté d'elle sans le savoir. Au naturel, c'était vraiment une autre personne. Incroyable !

Après la leçon, devant un distributeur de boissons, une bouteille d'eau à la main, elle m'a observée d'un air interrogatif... Tout d'abord, je n'ai pas osé lui parler. Elle m'a regardée, je l'ai regardée. Je ne savais pas comment entamer la conversation. Un peu sottement, je lui ai dit tout à trac :

— Accepteriez-vous de faire une photo avec une personne milliardaire ?

— Où est-il ?

— Pourquoi « il » ? Ça ne peut pas être « elle » ? ai-je répliqué en me montrant du doigt.

Elle a rigolé. Nous avons bavardé un peu, mais nous n'avons pas pu prendre la photo : dans ce club très privé, les photos étaient interdites.

J'ai vécu ainsi entre l'Amérique et l'Arabie Saoudite, subissant à chaque retour un « recyclage » pénible. Parfois, arrivant à Riyad-la-mort-douce, je ne trouvais plus la force de me lever pendant deux jours. Si je n'avais pas eu mes enfants, je crois que j'aurais souhaité en finir avec la vie.

Il y avait pourtant quelques éclairs de bonheur familial volés à mes tourments de femme solitaire. Le 31 décembre 1984, par exemple, Amir est venu nous rejoindre à Monaco où le bateau était amarré.

Pour ma fille Louloua, qui avait deux ans ce jour-là, nous avons organisé un magnifique anniversaire au bord de la piscine couverte de l'Hôtel de Paris. Sur scène, en un spectacle mémorable, se succédèrent le sosie de Michael Jackson, un ballet canadien sublime et des danses arabes, puis nous avons offert un dîner. Ce fut la seule grande fête que nous donnâmes de toute notre vie conjugale. L'espace d'une soirée, nous avons formé une vraie famille.

Pendant sept ans, malgré les vexations, les humiliations et les souffrances, je suis restée totalement fidèle à mon mari, cœur, âme et corps. Je l'ai aimé aveuglément, jamais je n'ai regardé un autre homme. Si je rêvais parfois de mirifiques princes charmants au début de mes déceptions conjugales, c'était toujours Amir qui se profilait dans le flou de mon imagination. Je ne me pensais pas capable d'aimer ailleurs. Avec ma prédisposition à détester les hommes, notez, ce n'était pas très difficile ! Il n'y avait qu'Amir qui comptait, il remplaçait tout pour moi : le père, le frère, le mari, le protecteur.

Le 1er février 1985, nous avons décidé de célébrer notre septième anniversaire de mariage en Arabie Saoudite, juste lui et moi, en tête à tête. Je m'en réjouissais car je voyais là un moyen de me rapprocher d'Amir, que je trouvais indifférent depuis quelque temps. Un an plus tôt, j'avais accouché de

Fayçal, notre troisième enfant, et j'étais encore très fragile. Toute femme à la suite d'une grossesse se sent affaiblie, elle dépense tant d'énergie, et moi je n'accouche que par césarienne, une épreuve physique et mentale terriblement éprouvante dont les contrecoups se prolongent longtemps. Le lait ne monte pas tout de suite, il faut attendre deux ou trois jours, le nourrisson a toujours faim et on lui donne le biberon. Quand le lait vient enfin, le bébé ne veut plus prendre le sein car il a déjà l'habitude de la tétine.

J'étais donc extrêmement vulnérable, et c'est ce moment qu'Amir a choisi pour m'annoncer ce qui apparaissait comme une grande et heureuse nouvelle : le roi allait le nommer ministre.

Oui, mais pour être ministre en Arabie Saoudite, il pensait qu'il valait mieux être marié à une femme originaire du pays ! Il m'en a parlé le plus naturellement du monde, me révélant entre la poire et le fromage qu'il lui fallait épouser une jeune Saoudienne... J'étais amoureuse de lui et je ne comprenais pas : comment un homme peut-il aimer sa femme, avoir trois enfants avec elle et décider de s'unir à une autre seulement pour devenir ministre ? Cela me dépassait. J'en étais muette de déception, de stupéfaction et d'horreur.

La polygamie était une notion si éloignée de ma mentalité, de mon éducation, de mes traditions familiales, de mes racines culturelles que j'en étais abasourdie. Je ne comprenais pas que pour lui c'était

« normal » ! Je pensais plutôt qu'il voulait convoler avec une femme plus jeune parce que j'avais trois enfants et que j'étais toujours occupée. Cette pensée insidieuse fut le début de la fin, un coup fatal porté à mon amour.

J'aurais pourtant dû regarder autour de moi. Je me souviens qu'au début de mon mariage, j'avais repéré, à la fin d'un dîner chez le ministre des Ports, une femme qui pleurait, seule à une table. Je m'étais approchée d'elle et lui avais demandé la raison de son chagrin : son mari avait épousé le jour même une jeune servante marocaine de seize ans.

Tel était le destin de beaucoup d'épouses saoudiennes. Flanquées d'une nombreuse progéniture, elles ne font rien de leurs journées si ce n'est se parer, se préparer, s'épiler dans l'attente anxieuse du mari. Par manque d'action, elles deviennent grasses et sont alors délaissées. Conséquence : les mariages avec les bonnes sont très fréquents. Venant du Maroc, d'Algérie, d'Égypte ou des Philippines, généralement jeunes et dociles, les servantes deviennent d'abord les concubines, puis les épouses du maître.

Je savais aussi que les hommes, dans ce pays, avaient droit à quatre femmes, mais jamais je n'aurais pensé être menacée personnellement ! Nous étions très épris, nous nous étions connus à Paris, et puis zut ! je ne me laissais pas aller, je gardais ma ligne, mes muscles, mon inventivité amoureuse... Et là, soudain, j'allais me retrouver la « vieille épouse », comme dans les romans où fleurissent les intrigues

149

de harem ! J'étais terrifiée, malheureuse, effondrée et j'ai repensé aux mises en garde de ma mère.

Quand je subis une grande secousse, quelque chose me saisit à la gorge, il m'arrive même de perdre la voix à cause de ma souffrance intérieure. Et de fait, en me levant le lendemain de cette déclaration concernant l'éventualité du mariage d'Amir, impossible de prononcer la moindre parole. Durant un mois entier, je n'ai pu émettre un son, je donnais mes instructions à mes employés par écrit. Sous le coup de l'émotion, mon lait s'était tari, je n'avais même plus le bonheur d'allaiter mon nouveau-né.

Quand je suis revenue à Memphis, le médecin qui soignait Kenny Rogers, le grand chanteur country, m'a traitée durant trois mois pour me permettre de retrouver ma voix. Une cure pénible et contraignante : il faut « faire sortir » des sons comme un bébé, répéter, puiser en soi la force de parler.

Je faisais mes exercices et pensais à Amir. J'avais vingt-huit ans, trois enfants, n'étais-je pas déjà pour lui trop vieille ? Est-ce que je ne figurais pas une entrave dans sa carrière politique, vu mon attitude, mon besoin de liberté, mes provocations ? Ne cherchait-il pas ailleurs un amour plus confortable ?

Finalement, il n'est pas devenu ministre et il est revenu vers moi. Mon parfum lui manquait, paraît-il...

Ce fut une courte flambée d'amour. Puis les absences reprirent, et l'enfermement, l'ennui poisseux, un couple qui ne correspondait pas à l'idée que je m'en faisais.

En juin 1985, je suis allée comme d'habitude sur notre bateau à Monaco. À force de travail, j'avais finalement retrouvé ma taille d'avant la grossesse. À force de soins, j'avais recouvré ma voix.

À la California Terrace, un club de gym de la principauté où je prenais des cours d'aérobic, j'ai rencontré Matthew, un jeune Américain de mon âge, un peu acteur dans quelques films hollywoodiens, un peu professeur de sport, mais surtout très beau, parfaitement musclé, grand, élancé, les yeux bleu-vert. Et j'en suis tombée éperdument amoureuse !

Allais-je succomber à cette brutale passion ? Il y a tellement d'hommes dans le monde, pourquoi passer son temps à souffrir ? Pourquoi continuer à aimer un mari qui ne partageait pas son âme avec moi ?

Le sentiment qui me portait vers Matt n'avait rien à voir avec l'attachement respectueux, l'adoration déférente que m'inspirait mon époux. Mais mon athlète au regard clair me donnait envie de vivre une vie nouvelle, sur un pied d'égalité, de complicité souriante avec l'homme que j'aimerais.

Avec le recul, je m'interroge : ce sentiment ravageur était-il une réponse à ma dépression ? Une volonté inconsciente de trouver une issue à ma situation dramatique ? Une simple illusion ? Une planche de salut à laquelle je m'accrochais pour compenser l'insécurité dans laquelle m'avait plongée la menace d'une seconde épouse pour Amir ? Je n'avais que vingt-huit ans, mais je sentais déjà la jeunesse m'échapper et surtout j'étais préoccupée, minée, épuisée par la maladie de Nayef. Quand la fièvre agitait mon fils, quand il devait être hospitalisé, je passais des nuits entières à son chevet, sans dormir, exténuée, l'intelligence embrumée par la fatigue.

Quoi qu'il en soit, je devais parler à mon époux afin d'obtenir au plus vite le divorce : Matthew et moi avions décidé de nous marier et je me voyais déjà filer vers les États-Unis au bras de mon bel amour. Il me fallait donc tout révéler à Amir, lui avouer mes sentiments, ma détermination à rompre mes chaînes.

Lorsque nous nous sommes retrouvés en tête à tête sur le bateau, Amir n'a pas évoqué les sujets délicats qui nous opposaient d'habitude. Aucune question sur mes états d'âme, mes sorties, mes tenues. Débats et polémiques se révélaient inutiles : il avait immédiatement compris qu'une métamorphose radicale s'était opérée en moi et que je cherchais à changer mon existence. En effet, je ne voulais plus être sa femme, je ne voulais plus me voiler, je voulais profiter de la vie, me retrouver, sortir, avoir des amis.

Brusquement, je lui ai avoué que j'étais éprise d'un

autre. Il avait vu Matthew à la California Terrace, il savait que l'objet de ma flamme était super beau et très jeune. Il a senti le vrai danger. Il me dit d'une voix monocorde :

— Tu sais qu'une femme adultère mérite la mort, chez nous ?

— Mais je n'ai jamais couché avec Matthew !

Amir répéta :

— Une femme adultère mérite la mort...

En un mot cinglant, « adultère », j'étais condamnée. Quand les femmes cherchent ailleurs un bonheur que les Saoudiens ne peuvent leur donner, c'est toute leur belle assurance de mâles dominants qui s'effondre. L'honneur familial repose en grande partie sur la conduite des femmes : chasteté des jeunes filles, fidélité de l'épouse, continence de la veuve. Si ces piliers qui soutiennent la virilité chatouilleuse de ces hommes s'écroulent, c'est la société dans son ensemble qui paraît menacée. Les femmes, éternelles mineures, voient leur rôle limité à la famille en tant que génitrices et gardiennes des traditions. En sortant de ce carcan, elles commettent la faute irréparable et encourent le châtiment suprême. Mais que m'importait la vie si c'était pour supporter à perpétuité l'enfermement et une lente agonie ? Je n'avais pas peur, j'acceptais mon sort comme une délivrance. J'étais résignée. J'ai tenu tête à mon mari.

— Si je dois mourir, pour moi ça ne changera rien. Je n'existe déjà plus, je n'ai plus de vie... lui ai-je murmuré avant de me retirer dans ma chambre.

Je me trouvais au fond du gouffre, je ne savais plus où j'en étais et j'ai voulu en finir, m'enfoncer dans le néant, comme dans une fuite qui devait m'arracher au malheur. Sans vraiment avoir conscience de ce que je faisais, j'ai avalé vingt-cinq cachets de Valium de cinq milligrammes chacun... Le soir même, j'ai été transportée à l'Hôpital Princesse Grace à Monaco où les médecins de garde m'ont fait un lavage d'estomac et m'ont surveillée pendant trois jours. J'avais la vie sauve, et Amir me gardait... pour l'instant.

Après Monaco, nous sommes allés à Londres. Matthew m'avait ordonné de divorcer, me disant que si je ne quittais pas mon mari, c'en était fini de notre belle relation. J'étais désespérée, je pleurais toutes les nuits, je ne mangeais plus... J'ai tellement souffert : Matthew me manquait et mon mari, s'il ne m'avait pas punie de mort, ne pouvait bien évidemment me pardonner mon penchant pour un autre. Quant à la société saoudienne, n'en parlons pas.

Un jour, Matthew, que mon mari terrifiait, m'a envoyé un ami pour prendre de mes nouvelles. Je suis allée une seule fois boire un thé en sa compagnie pour lui raconter mes malheurs et lui demander conseil... Dans le petit univers des cancans saoudiens – les Saoudiens sont nombreux à Londres –, mon échappée londonienne a été vite connue et l'on a murmuré que, si j'en avais fini avec Matthew, tout recommençait avec celui-là.

Dès lors, ne pouvant ni me croire ni me pardonner, mais humilié et sachant que je voulais le quitter, mon mari s'est résolu à consentir à la séparation. Il m'a envoyé les documents du divorce. En même temps, la machine à broyer les femmes désobéissantes se mettait en marche. Amir exigeait que je lui renvoie mon passeport saoudien, et l'on a fermé tous nos comptes joints. Heureusement, j'avais déjà fait quelques placements à titre personnel : cela me permettait de tenir un certain temps. Le vide se fit autour de moi, mais le pire restait à venir : il m'était interdit de revoir mes enfants ! C'était la sanction raffinée prévue par l'Islam pour punir l'épouse rebelle. J'avais tout prévu, sauf cette extrême cruauté. Amir a emmené nos enfants à Riyad en m'interdisant désormais de leur parler.

La rage au cœur, mais bien déterminée à me battre, je suis partie à Los Angeles pour retrouver Matthew et lui annoncer que j'étais divorcée. Nous allions pouvoir vivre enfin notre passion au grand jour. Mais mon tendre amour ne semblait plus aussi pressé de convoler. Il me dit seulement :

— On va s'acheter une maison...

Je ne voulais pas comprendre. Une maison ? Plus tard, peut-être. Pour l'instant, mon bel amour, nous allons nous unir devant Dieu et les hommes, nous allons laisser éclater notre bonheur au soleil de l'Amérique et former une famille avec mes enfants que j'arracherai à la puissance de leur père. Une nouvelle existence s'ouvre pour nous... Je parlais dans le vide. Il ne voulait rien entendre et m'a enfin dévoilé le fond de son âme : il insistait pour que je lui offre une propriété et investisse cinq cent mille dollars dans un film où il avait obtenu un rôle. Ce n'était donc pas moi qu'il voulait, c'était le fric ! Ce qu'il ne savait pas, c'est que je n'avais plus de réelle fortune.

Pitoyable bilan de toutes mes révoltes : Amir me haïssait, mes enfants m'étaient enlevés, Matthew m'avait trahie et je me retrouvais sans un sou. La solitude dont j'avais déjà tant souffert faisait à nouveau passer un grand souffle froid sur mon cœur.

En proie au plus grand désespoir, je suis partie à Beyrouth afin de reprendre mon passeport libanais pour rendre le passeport saoudien à Amir. Je revenais à mon point de départ. Toutes mes fuites, toutes mes impatiences, toutes mes désespérances n'avaient fait que me ramener chez moi, mais sans ma maman et dans un pays ravagé par la guerre.

Alors j'ai fait une nouvelle dépression. J'ai perdu dix kilos en trente jours, je pleurais sans cesse, j'appelais mes enfants. Sans succès. Il m'était interdit de les avoir au téléphone... On m'a finalement transportée à l'hôpital où je suis restée presque deux mois, abrutie par les calmants, endormie la plupart du temps. J'avais tout perdu. Je voulais de nouveau mourir.

En plus, mon délicat Matthew a entamé une procédure judiciaire contre moi aux États-Unis, soutenant que j'avais rompu une promesse de mariage ! Heureusement, la justice américaine est très sévère avec les hommes qui veulent profiter des femmes de cette façon. Non seulement la Cour d'instance de Californie l'a condamné à quarante mille dollars de dommages et intérêts, mais elle lui a interdit à jamais de me contacter. S'il cherchait à me revoir en Amérique, j'aurais le droit de le faire jeter en prison, ce à quoi j'étais déterminée. Décidément, mon père, mon mari, mon gentil Matt... toutes mes relations avec les hommes finissaient en fiasco.

Toujours au Liban, toujours dépressive, je devenais presque folle. Je maigrissais, je ne pouvais ouvrir les yeux sans hurler ou pleurer. J'approchais de la trentaine, j'étais seule, qu'allais-je faire ? Je ne voulais pas revenir vers mon mari. Je voulais seulement mes enfants et je suppliais qu'on me les rende. J'étais hystérique, je criais, je ne voulais plus d'homme, plus d'argent, plus de palais, plus d'avions, plus rien. Mes enfants, seulement mes enfants.

Pendant six mois, ma sœur, son mari, mon frère ont tout tenté auprès d'Amir. Sans résultat. Finalement, le psychiatre qui me traitait a écrit à mon ex-mari en lui demandant une entrevue à Genève. Là-bas, il lui a dit que je n'étais pas une mauvaise femme, que j'étais passée par des moments très dif-

ficiles, et qu'en me prenant les enfants il était sûrement en train de me tuer.

— Vous ne voulez pas que vos enfants soient
orphelins de leur mère ? a-t-il argumenté. Parce que
je vous promets qu'elle ne va pas vivre longtemps
avec tous les médicaments qu'elle avale. Elle ne fait
plus que quarante-sept kilos. Elle ne réclame rien,
n'exige rien, seulement ses enfants...

Amir a répondu que, d'après la loi musulmane, les
enfants restaient sous sa garde. Le médecin a
répliqué que, toujours selon la loi musulmane, la
mère devait les élever jusqu'à l'âge de sept ans. Or
mon fils aîné n'avait que six ans, Louloua quatre et
Fayçal deux.

Je pense que Dieu est alors intervenu. Afin de me
laisser profiter de ma famille sans trahir la loi musulmane, Amir a accepté de m'épouser de nouveau.
J'avoue qu'il a eu un geste très noble. Pour un Saoudien, reprendre sa femme après un divorce est un
mouvement d'une immense générosité. Je voulais
croire qu'il m'épousait une deuxième fois pour me
sauver la vie et préserver notre progéniture.

Il est vrai que mon fils malade pouvait difficile-
ment se passer de moi, et que ma fille réclamait sa
mère. Quant au petit dernier, qui avait alors deux
ans et qui apparemment ne pouvait rien comprendre,
il souffrait aussi, sans doute, de cette situation. J'avais
vécu une relation très forte avec mes petits et soudain, sans comprendre, ils étaient restés six mois sans
me voir.

Nous nous sommes remariés en juillet 1986, à Paris. Un religieux est venu avec deux témoins dans notre hôtel particulier de la région parisienne. J'étais presque mourante, on m'a donné un bain, on a essayé de me revigorer, mais je n'entendais rien, je ne sentais rien, tout était flou, cotonneux. Je gémissais comme un fantôme : « Je veux mes enfants, mes enfants... »

VI

LA CAVERNE D'ALI BABA

Nos retrouvailles n'étaient faciles ni pour Amir ni pour moi. Mais ne constituaient-elles pas l'idéal pour nos enfants ? Et surtout pour mon fils malade. Durant mon absence, l'état de Nayef s'était aggravé, il avait souffert de rechutes avec fièvre, vomissements et douleurs. Il n'y a que la maman pour s'occuper de son enfant dans ce cas-là.

Je repris donc mon rôle d'infirmière. Je faisais à nouveau ses piqûres, je lui administrais ses médicaments, je passais parfois deux heures à lui faire avaler quelques cuillerées de riz malgré son manque d'appétit. Peu à peu, son état s'améliora...

J'avais une immense tendresse pour ce premier-né, si tôt éprouvé par la vie. Il me prenait des envies de le dorloter, de le serrer dans mes bras, de le couvrir de baisers. Lui m'adorait et s'accrochait à moi, dans sa douleur comme dans ses joies.

Ma fille, elle, était follement heureuse de me retrouver. Quant à Fayçal, il ne m'a pas reconnue, il était si jeune et j'avais tant maigri. Très vite, il me donna du souci : il était exigeant, rebelle. Souffrait-il de ma propre détresse ? Notre deuxième mariage, pour Amir et moi, n'était qu'un piètre rafistolage. Les enfants sont sensibles à ce genre d'atmosphère, et moi je n'allais pas bien du tout, ce qui devait également être perceptible. Je me disais que j'avais peut-être eu tort de revenir auprès de mon époux, que j'aurais dû planifier mon départ, négocier la garde de mes fils et de ma fille.

De retour à Memphis, je suis allée consulter un médecin. Pour moi. Je lui ai avoué que j'avais énormément de problèmes avec mon mari et que je menais une existence extrêmement difficile. Je lui ai parlé de mon divorce, de mon erreur avec Matthew, de mon incertitude face à l'avenir. Je n'oublierai jamais ce qu'il m'a dit :

— Ne partez pas avant que les enfants soient capables de s'exprimer physiquement et oralement. Même si cela signifie l'enfer pour plusieurs années encore. Restez auprès d'eux jusqu'à ce que le petit ait atteint l'âge de sept ans.

Il m'a prescrit la dose la plus forte de Prozac et, aujourd'hui encore, chaque fois que je tente d'alléger la posologie, je replonge dans mes angoisses et mes pleurs.

Pour m'échapper, j'attendais donc que mon petit dernier fête son septième anniversaire. Selon la loi

musulmane, en cas de divorce, à cet âge-là je le perdais de toute façon. Une coutume absurde et
démente, en contradiction totale avec ce qui se passe
sous tous les autres cieux, dans toutes les autres religions, dans toutes les autres cultures. Tout le monde
sait combien la mère est importante dans l'adolescence. Mais dans l'Islam, si le père en décide ainsi
suite au divorce, le lien est complètement coupé avec
cette mère dès l'âge dit en Occident « de raison ». Je
souffre de cela aujourd'hui. Je ne vois plus mes deux
grands fils qui ont vingt et seize ans. Mais je
n'implore rien. Je n'ai jamais supplié, ni mon père,
ni mon frère, ni mon mari, ni mes fils.

C'est sans doute à cause de ce déchirement qu'aujourd'hui j'ai le projet un peu utopique de défendre
la cause des enfants, partout, et surtout auprès du
clergé musulman, et de lutter pour faire modifier la
loi sur ce point. Un combat très dur s'ouvrira, je le
sais. Sans doute ne verrai-je pas ces changements,
mais peut-être les choses bougeront-elles un jour,
plus tard. Pour les générations futures.

J'ai tout supporté pour mes enfants. Onze nouvelles années de douleur et de solitude. La société
saoudienne, qui ne m'avait jamais acceptée, cherchait
désormais à me rejeter totalement. À Riyad, des
bruits affreux ont été colportés sur mon compte :
on disait même que mon mari m'avait surprise dans
le lit avec mon amant. J'avais l'atroce réputation

d'être une poule de luxe, une Madame Bovary du désert. Amir sortait grandi de cette rumeur. N'avait-il pas renoncé à me tuer malgré la loi musulmane qui lui en donnait le droit ? Des « amies » bien intentionnées en rajoutaient, racontant partout que j'avais été jadis danseuse dans un cabaret. Pour la légende, elles transformaient la petite serveuse que j'avais été en perverse entraîneuse de night-club.

Aux yeux de ces gens, je n'existais plus. J'étais comme une présence inévitable. J'étais là parce qu'il fallait que je reste disponible pour les enfants. En fait, plus personne ne voulait partager quoi que ce soit avec moi. Que je me repente d'une tocade sans réelle gravité – et non d'un adultère –, n'y pouvait rien changer : le regard des autres me bannissait bien plus encore qu'auparavant. Et pourtant, étais-je vraiment la seule responsable de l'échec de mon mariage ? Quoi qu'il en soit, de prisonnière j'étais devenue condamnée. Et je continuais de m'étioler dans les quartiers de haute surveillance d'une solitude mordorée.

Aujourd'hui, je suis devenue une femme libre et je pense parfois qu'il me fallait passer par ce purgatoire pour me renforcer, pour trouver les réelles sources de l'équilibre, les authentiques raisons du malheur et le véritable sens de la vie.

Pour l'heure cependant, je me retrouvais mariée, soumise, amante occasionnelle d'un époux voyageur. Amir disparaissait des mois pour son travail, et mes espoirs utopiques d'une éventuelle résurrection de notre amour s'essoufflaient dans nos corps à corps de retrouvailles où nous ne partagions que l'égarement d'un instant.

C'est à cette époque que la haute couture a pris une importance primordiale dans ma vie. Je m'y suis accrochée comme à une bouée de sauvetage. Elle m'est devenue indispensable, telle une bouffée d'air pur. Grâce à elle, à quelques premières que j'adorais et qui me rappelaient Madame Juliette – la couturière de mon enfance – j'ai pu retrouver un certain bonheur.

Une maison de couture m'apparaissait comme un milieu de femmes complices, soudées, amicales. Je sortais de mes cauchemars quotidiens pour me retrouver dans une atmosphère ouatée, luxueuse. J'étais dorlotée, chouchoutée par une troupe de dames enjouées, distinguées, élégantes. On me répliquera qu'elles se faisaient délicieuses car j'étais une bonne cliente... C'est vrai, mais je crois qu'elles m'aimaient beaucoup et pas uniquement pour mon argent. D'ailleurs, parmi les clientes des maisons de couture, je n'étais pas la seule à être riche ! Je me souviens de Madame Christiane qui officiait d'abord chez Dior puis chez Chanel et qui savait si bien m'entourer, me réconforter, m'apaiser. J'arrivais parfois en larmes chez elle, j'en ressortais revigorée.

Amir me passait mes caprices, sous certaines

conditions. Je partais dans son jet à deux heures du matin de Riyad, j'arrivais à Paris à neuf heures, je devais faire tous mes essayages dans la journée et repartir le soir même. Amir était-il encore jaloux ? Si c'était le cas, il avait tort : j'avais totalement abandonné l'idée d'un autre homme dans ma vie. Je me disais que plus jamais je ne referais l'erreur commise avec Matthew. J'apprenais de mes propres fautes. Aujourd'hui, je me méfie non seulement des séduisants jeunes gens mais aussi des hommes fortunés. Ils cherchent tous à vous abuser et je n'en veux plus. Je ne veux plus souffrir. Quitte à vivre toute mon existence solitaire.

À l'époque, en tout cas, je me perdais dans l'activité pour ne pas trop penser, je faisais de l'exercice, j'écoutais de la musique, j'écrivais, je m'occupais des enfants. Néanmoins, j'étais maussade. Ma nature pourtant n'est pas sinistre ; d'ailleurs avec mes amis, avec mes enfants, je continuais à rigoler. Mais face à moi-même, dans la solitude de mes nuits, j'étais mélancolique : les paroles de ma mère me revenaient en mémoire et je me demandais si un jour je pourrais sortir de ce piège.

L'été suivant notre remariage, Amir et moi nous sommes retrouvés sur le *Massarah*, au large de la Sardaigne. Un soir, nous avons accosté et nous sommes sortis au restaurant la *Molla*, du côté de Cala di Volpe, pour rejoindre toute une bande d'amis de mon mari, des couples italiens, français, libanais. J'étais stupéfiée. Je ne savais pas qu'Amir avait autant d'amis étrangers et je n'en revenais pas de le voir accepter de me sortir dans une société mixte.

J'étais si heureuse ! Loin des médisances de Riyad, accompagnée de Paola, j'allais passer une soirée dans la vraie vie. Je me trouvais belle en robe Thierry Mugler près du corps, très sexy, et Amir ne s'en choquait pas !

J'eus tôt fait de comprendre. En réalité, il s'intéressait à une jeune fille de vingt ans... Il lui parlait en aparté, riait avec elle, lui d'ordinaire plutôt taciturne, discret et silencieux. Torturée, je me demandais ce qui se passait entre ces deux-là. Et, médusée, je me rendais compte que j'étais encore jalouse, moi qui n'étais pas loin de croire que je n'aimais plus mon mari !

Je suis allée aux toilettes avec Paola et j'ai pleuré sur son épaule. Je m'imaginais qu'Amir avait une liaison avec cette petite. Ma mère ne m'avait-elle pas prévenue qu'il me serait infidèle ? Je croyais que cette prédiction était en train de se réaliser sous mes yeux.

Paola a tenté de me rassurer. Les hommes aiment s'amuser, disait-elle. Mais demain matin il va tout oublier et il t'achètera un bijou... N'est-ce pas ce qu'ils font quand ils se sentent coupables ?

Vers deux heures du matin, nous sommes remontés sur le bateau et Amir est venu me prévenir qu'il partait pour Genève quelques heures plus tard.

— Le roi m'a appelé, a-t-il précisé.

Ordre imparable. Moi, j'avais des nausées depuis quelques jours et je pensais être enceinte. J'ai proposé à Amir de partir avec lui pour aller consulter un gynécologue en Suisse. Il a refusé. J'ai insisté. Agacé, il m'a soutenu que personne ne devait l'accompagner, qu'il se rendait au bord du lac Léman pour une mission secrète. Je l'ai assuré que je ne l'ennuierais pas, que je le laisserais tranquille toute la journée. Peine perdue, c'était toujours non.

Et moi je n'en démordais pas : j'étais certaine qu'il avait prévu de voyager avec la jeune fille. Paola voulut apaiser mes craintes :

— Voyons, elle n'est même pas belle, elle a de la moustache...

— Oui, mais elle a vingt ans ! Ma mère m'a toujours dit de me méfier des filles plus jeunes que moi...

Le lendemain matin, Amir s'est levé très tôt et, d'un regard en coin, je l'ai observé dans ses efforts d'élégance. Il se parfuma d'abondance, essaya de nombreuses chemises, testa d'innombrables cravates... Mes doutes se confirmaient.

Quand il a quitté le bateau, Paola et moi nous nous sommes habillées et sommes allées prendre nos passeports chez le capitaine, sous prétexte d'une petite virée en Corse. Nous sommes arrivées à l'aéroport privé en même temps que la gamine... J'étais en tailleur blanc Dior, très chic, elle était en baskets avec jeans et cheveux ébouriffés. Elle nous a vues. Il nous a vues. Nous étions quatre idiots en train de nous regarder sans rien dire. En riant, je me suis approchée de la jeune fille :

— Vous venez avec nous à Genève ?

Elle m'a répondu, un peu gênée :

— Votre mari m'a invitée, je vais acheter du chocolat là-bas.

— Ça tombe très bien, on veut aussi acheter du chocolat. On y va tous ensemble !

Mon mari était consterné. Pendant tout le vol, il n'a pas desserré les mâchoires. À l'arrivée, je suis descendue avec Paola, j'ai pris la fille sous ma coupe, disant à Amir :

— On va acheter du chocolat. Toi, tu vas voir le roi !

J'en ris encore quand j'y pense : j'ai gardé la petite avec moi toute la journée ! Je l'ai trimballée partout, chez le gynécologue, au laboratoire, à la banque. En fin d'après-midi, à la dernière minute, juste avant de partir pour l'aéroport, nous sommes tout de même allées acheter du chocolat.

Quand j'en ai proposé à mon époux, il a refusé.

Une grande tristesse m'a envahie après cet incident, pourtant assez drôle. À Genève, le gynécologue avait confirmé mes soupçons : j'étais effectivement enceinte. Cette grossesse ponctuée de dépression m'a lentement transformée en une épaisse matrone de quatre-vingts kilos. Pour Amir, je n'étais plus qu'un objet de dégoût et de mépris. Moi-même, j'avais bien du mal à reconnaître dans ces formes lourdes la femme sportive et dynamique que j'avais été naguère.

Khaled est né à Memphis en 1987, le jour même de mes trente ans. Je pense l'adorer particulièrement parce que ce fils est arrivé au moment le plus pitoyable de mon existence et j'ai trouvé énormément de bonheur à l'aimer et à le choyer.

Peu après la sortie de l'hôpital, le bébé est tombé malade. Forte fièvre, étouffements, spasmes se succédaient. Le médecin a diagnostiqué de l'asthme. Ce n'était pas dramatique, certes, mais cela me valut quand même beaucoup d'inquiétudes et de veilles. Lors des crises, je restais toute la nuit debout avec le bébé dans mes bras : dans la position couchée, il étouffait. Quand les gens me demandent aujourd'hui pourquoi j'ai les bras assez musclés, je réponds que c'est parce que j'ai porté mon fils dans ces bras-là pendant de longues nuits et ce, plusieurs années !

Un hiver, Khaled a eu une crise terrible en Suisse. Nous venions d'arriver dans notre chalet de montagne, à Crans, et nous avions allumé un feu dans la cheminée. Est-ce la fumée ? Est-ce l'altitude ? Toujours est-il que Khaled suffoquait. En installant tout le monde, je n'ai pas fait attention à ce petit qui transpirait abondamment. Or, pour un asthmatique, la transpiration peut être dangereuse, il risque vite la déshydratation.

Au moment de me mettre au lit, je suis allée

contrôler sa respiration et je l'ai vu qui me regardait avec des yeux rouges et voilés, il s'accrochait à moi comme s'il allait mourir. J'ai su qu'il allait avoir une crise violente. Immédiatement, j'ai appelé son pédiatre aux États-Unis qui m'a dit de me précipiter au centre médical le plus proche.

À l'hôpital des Enfants de Sion, les docteurs lui ont administré du Ventolin et ont traité la déshydratation en le perfusant d'un litre de sérum physiologique pour vingt-quatre heures. Je savais que c'était insuffisant. Il fallait deux litres. J'ai encore appelé le praticien de Memphis, je lui ai dit que le petit continuait à pleurer et qu'il ne mangeait pas. Il m'a demandé de faire doubler la ration de sérum.

Au bout de deux jours, je n'avais toujours pas dormi, j'ingurgitais café sur café, suppliant le médecin suisse d'augmenter la perfusion de sérum physiologique, comme on le faisait en Amérique. Devant mon insistance, le spécialiste répliqua sèchement :

— Vous voulez le traiter ici ou aux États-Unis ? Si vous voulez le traiter aux États-Unis, prenez-le et partez.

J'ai expliqué avec prudence et précision que le pédiatre américain connaissait le petit depuis sa naissance et qu'on voulait seulement l'aider, lui, à trouver les soins adéquats. Mais il ne voulait rien entendre et répétait :

— Si vous voulez le soigner aux États-Unis, emmenez-le.

Je me suis énervée :

— Je vais l'emmener aux États-Unis, mais s'il lui arrive quelque chose dans l'avion, ce sera votre faute. Ou vous augmentez tout de suite la dose, ou je vous rends responsable de ce qui peut advenir. Je ne peux le laisser ainsi dépérir.

Heureusement, mon mari est arrivé à ce moment. J'ai pleuré en le suppliant de parler au docteur. Quand celui-ci m'a vue en larmes, il a eu cette réflexion peu amène :

— Arrêtez votre cinéma hollywoodien. Ici, nous sommes en Suisse, nous ne fonctionnons pas avec notre cœur !

Mon mari a réagi violemment et l'a menacé de poursuites juridiques. Tout de suite, les infirmières sont arrivées pour doubler la quantité de sérum physiologique... Au bout d'une heure, l'enfant s'est arrêté de pleurer et s'est endormi paisiblement. Huit heures plus tard, il s'est réveillé en ayant faim.

Et nous sommes retournés à Memphis avec un enfant en bonne santé. J'étais heureuse de retrouver l'Amérique car j'étais de nouveau enceinte. Omar, mon benjamin, naquit en avril 1988. Il fut le plus sensible de mes enfants, le moins désireux de me quitter même pour aller à l'école ! C'est d'ailleurs pour cela que j'ai tant fréquenté l'école américaine : je l'y accompagnais tous les jours, je m'asseyais auprès de lui en classe et finalement, pour prolonger encore cette aimante complicité, je me suis totalement investie dans le jardin d'enfants. Aujourd'hui

encore, comme il me manque, comme je regrette de
ne plus pouvoir le prendre par la main et l'entourer
de tendresse !

Durant la brève période de notre divorce, persuadé de devoir vivre désormais une vie de célibataire, Amir s'était décidé à se faire construire un vaste
bateau de cent cinq mètres de long et de trois mille
mètres carrés habitables, le plus grand yacht privé
du monde. J'ai été émue et touchée lorsque j'ai su
que ce bâtiment s'appellerait le *Princess Mouna*. Amir
avait donc compris que je n'étais pas une mauvaise
femme !

Les premiers plans dressés pour la construction
de ce yacht magnifique n'étaient pas très réussis et,
après de longs tâtonnements, Amir m'a demandé de
l'aider à terminer son nouveau joujou.

Je suis alors allée à Rome consulter l'architecte qui
avait la charge de la construction et de l'aménagement intérieur. J'ai tout fait transformer. Les murs
de laque blanche et le doré trop voyant ont laissé la
place à un salon en bois de palissandre, dans l'esprit
du *Normandy*, paquebot de luxe et de raffinement.
Et j'ai ajouté une touche d'antiquité phénicienne
avec de la mosaïque sur les murs de la salle à manger
et dans le fond de la piscine. Je me suis beaucoup
investie pour convertir ce bateau de célibataire en
embarcation familiale avec jacuzzis et saunas. Sans

oublier ce que j'ai appelé le « beach club » : une partie arrière qui s'ouvrait sur la mer en une vaste terrasse. C'était une idée très nouvelle à l'époque. En tout cas, ce travail m'a passionnée et, en 1990, après plus de quatre ans de labeur, le *Princess Mouna* est enfin sorti des chantiers.

Tout le monde a pensé que le *Princess Mouna* avait été construit pour moi. C'est faux. Et si l'aménagement de ce bateau m'a procuré de vrais moments de bonheur, une fois terminé il a fait de moi la femme la plus malheureuse du monde. Je le détestais et j'avais horreur de me trouver à son bord. Tout m'y était interdit, je ne pouvais pas sortir, je ne pouvais pas recevoir, je ne pouvais pas nager. D'ailleurs, je l'appelais « mon Château d'If ». Et les autres disaient que j'en avais fait un esquif de malheur !

Cette rumeur avait vu le jour lors de la première croisière. Nous étions partis visiter la Crète et arrivions au large d'Héraklion. Je bronzais sur le pont du haut où il n'y avait personne, quand soudain j'entendis une explosion. Je vis une langue de feu sortir de la cheminée et disparaître... J'appelai le capitaine, mais celui-ci ne crut pas que j'avais pu voir du feu où que ce soit. Pourtant, pendant qu'il m'écoutait, dubitatif, toutes les alarmes se mirent en marche ! L'évacuation fut ordonnée d'urgence. Nous avons revêtu nos gilets de sauvetage et nous avons débarqué à la hâte. En fait, tout se termina bien. Mais quand cette histoire a été connue, les plus pernicieuses de mes relations ont trouvé de quoi alimenter leurs ragots :

— C'est sa faute, elle a le diable en elle ! murmuraient-elles dans les palais de Riyad.

Amir avait pour ami le prince Mohamed, et lorsque ce personnage important venait sur le *Princess Mouna*, mes enfants et moi devions rester enfermés dans la cuisine. Nous n'avions pas le droit de voir ce qu'il faisait, encore moins le droit de lui adresser la parole. Et nous ne pouvions nous déplacer d'un pont à l'autre de peur que le prince, désirant soudain se reposer dans une des cabines, tombe nez à nez sur ma fille ou sur moi.

Un jour, le prince Mohamed était venu déjeuner sur le bateau ancré à Cannes. Lui et sa suite étaient arrivés vers dix heures du matin et, tard dans l'après-midi, nous étions encore à nous ennuyer à l'office. J'en avais assez.

Or le prince adorait les Aston Martin et nous avions en commun cette passion. Je possédais quatre voitures de cette marque, dont une « Zagatto » appartenant à une série limitée à cinquante exemplaires, dessinée par un architecte italien. La voiture avait été achetée en 1987 pour deux cent mille dollars, un cadeau à l'occasion de la naissance de mon fils Khaled, et je voulais la lui offrir pour ses vingt et un ans. Quand le prince a voulu en acquérir une toute pareille, on lui a demandé un demi-million de dollars ! Je ne sais comment, il a appris que j'en détenais un spécimen. Il a confié à mon mari qu'il rêvait de posséder une telle automobile, il espérait bien que je pourrais lui revendre la mienne au prix où je l'avais achetée...

La « Zagatto » allait pouvoir me permettre de sortir de la cuisine ! Je suis montée discrètement par l'ascenseur prendre une douche, je me suis habillée, j'ai pris les clés de la voiture, je les ai posées sur un plateau d'argent et j'ai pénétré dans le salon, le visage dévoilé devant une quarantaine d'hommes... Certains regardaient la vidéo, d'autres jouaient aux cartes, d'autres revenaient de la plage. Je me suis avancée et j'ai dit avec ironie :

— Cher prince, si je vous offre ma voiture, peut-être pourrai-je me promener dans mon propre bateau ?

C'était un geste symbolique. Je voulais dire que j'étais prête à m'acheter un peu de liberté. Mais cette apparition m'a valu de nouvelles médisances. Les hommes présents sont allés raconter stupidement que je voulais flirter avec le prince. Une fois de plus, personne n'a compris le sens de mon intervention.

Les enfants et moi passions l'été sur le bateau mais, dès la rentrée, nous regagnions Riyad. Amir restait à bord avec ses amis et nous rejoignait un mois après. Nous, nous retrouvions l'enfermement derrière les murs ocre de notre palais. Et lorsque nous sortions, c'était pire encore. Je me souviens de ce jour où le professeur de violon de Khaled lui a demandé d'acheter le disque de la *Petite musique de nuit* de Mozart. Le gamin n'avait que cinq ans, il fallait que je me décide pour une interprétation ou une autre. Mais, en tant que femme, je n'avais pas le droit de pénétrer dans les magasins de musique. Le pauvre enfant a piqué une véritable crise de nerfs devant cette situation absurde. Et le vendeur, bon prince, a accepté de sortir les disques un à un sur le trottoir pour que je fasse mon choix.

Une autre fois, j'ai subi de plein fouet le racisme ordinaire. Khaled avait été victime d'une nouvelle crise d'asthme qui m'avait fait me précipiter avec lui à l'hôpital de Riyad où son pédiatre, le Dr Haytham Tenfenkiji, que je ne saurais jamais trop remercier pour sa vigilance et sa compétence, s'est occupé de lui.

Deux jours plus tard, en repartant, dans la voiture, toutes vitres teintées fermées, j'ai retiré mon voile pour embrasser mon petit... Mais mon chauffeur libanais, en sortant du parking, a heurté une autre voiture qui manœuvrait. Le conducteur saoudien de cette voiture, furieux de cet accrochage, s'est écrié :

— On en a marre ! Vous tous, les Libanais, les Syriens, les Palestiniens, vous venez nous voler notre argent. Rentrez chez vous !

J'ai giclé de la voiture, furieuse, sans prendre le temps de me revoiler.

– Répétez un peu ce que vous venez de dire !

Ce qu'il fit, m'insultant cette fois directement.

J'ai fait relever le numéro d'immatriculation de cet infect personnage et j'ai protesté en haut lieu. Le prince Salman, grand seigneur bienveillant pour tous, étrangers comme Saoudiens, a réprimandé l'automobiliste irascible, lui signifiant que le pays avait besoin des étrangers et qu'il devrait, à l'avenir, modérer son langage.

Je ne comprenais pas comment la communauté américaine de Riyad acceptait de vivre dans cette atmosphère pesante. Mais il est vrai qu'elle avait une chance folle, elle vivait dans des *compounds*, des quartiers fermés où elle pouvait mener l'existence de son choix. Les Américains avaient leurs piscines, leurs tennis, leurs bars – officiellement sans alcool, bien sûr. Pour eux, nous, les Saoudiens, étions des privilégiés baignant dans le luxe et l'opulence, alors que moi je rêvais juste de partager leur vie simple, une vie de famille.

L'isolement dans lequel m'a maintenue la société saoudienne a eu pourtant une heureuse répercussion : j'ai pu m'occuper parfaitement de mes enfants. Au moins, je servais à quelque chose. Comme ma mère disait jadis : « Il faut toujours sortir le bien du mal. » J'avais la chance d'avoir ce pédiatre syrien qui avait fait ses études aux États-Unis. J'avais connu le Dr Tenfenkiji à Memphis où il faisait son stage et je l'ai retrouvé plus tard à Riyad. Il fut le seul à me respecter et à m'écouter, durant presque vingt ans. Il disait aux infirmières qui soignaient Nayef :

— Elle connaît tout, si vous avez besoin d'aide, vous pouvez l'appeler. Elle est très intuitive.

Souvent, je demandais aux étrangères croisées dans les ambassades lors des réceptions réservées aux femmes pourquoi elles étaient venues résider en Arabie Saoudite. En écoutant leurs réponses, j'ai compris que ces gens-là se trouvaient dans le pays uniquement pour faire de l'argent. Personne n'était animé d'un amour immodéré pour la contrée ni pour ses habitants. Alors j'ai pensé qu'il était dommage de rester en ces lieux sans chercher moi aussi à amasser un peu de bien.

Après mon premier divorce, je m'étais trouvée fort démunie et j'en avais tiré les leçons. Je devais à présent me faire un pécule pour moi seule, prévoir l'avenir et ne plus rester entièrement à la merci de la fortune de mon mari. L'argent représentait le viatique indispensable pour ma liberté à venir. Mais que pouvais-je faire pour me constituer un capital ?

J'eus une première idée, qui devait à mon sens assurer ma fortune : l'aérobic et le body-building. Depuis mes séjours à Memphis, j'étais assez versée dans cette pratique et de nombreuses Saoudiennes me demandaient comment je m'y étais prise pour garder la forme et la ligne malgré cinq grossesses. J'allais pouvoir enseigner à toutes ces princesses l'art et la manière de s'entretenir. Mais j'ai vite compris, suite à des centaines de discussions, voire de disputes avec mon mari, que les difficultés seraient insurmontables. Ce signe d'autonomie serait mal perçu et tout serait tenté pour me faire échouer dans ma tentative.

Allais-je pour autant renoncer à me constituer une cagnotte ? Non. Il me fallait trouver un autre projet. Et ce projet, j'avais les moyens de le réaliser en faisant du « commerce » ! Après tout, je suis libanaise et les Phéniciens ont toujours eu le sens des affaires. Je l'avais déjà prouvé, adolescente sur la plage, en vendant des briquets. Et là, chez moi, il y avait des milliers de choses à vendre !

À cette époque, une bonne partie de l'équipement sophistiqué qui fait la vie moderne était introuvable en Arabie Saoudite. Non seulement parce que le matériel trop emblématique de l'*american way of life* était parfois interdit à l'importation, mais aussi en raison des transports mal organisés et peu développés. Or, mon mari revenait de ses interminables voyages avec d'énormes quantités de marchandises. Comme tous les Saoudiens riches, Amir était un passionné de shopping. Et il ne faisait rien à moitié. Si un modèle de bottes lui plaisait dans une boutique, il en achetait des dizaines de paires. Était-ce par excès d'engouement ? Je l'ignore, mais la quantité de choses qu'il achetait était effarante.

Pour ma part, j'étais chargée de trier ses emplettes à son retour. J'en extrayais le nécessaire utilisable dans l'immédiat et tout le reste s'entassait, inutilement. Que faire de cent paires de chaussures, de dizaines de vestes en cuir, de séries de valises Vuitton, d'une cinquantaine de tapis de jogging, d'une multitude de téléviseurs, de magnétoscopes, de caméras vidéo, de walkmans, de cassettes ? Il n'était pas humainement possible de se souvenir de tous ces objets accumulés et Amir finissait par oublier la plus grande part de ses achats. Quand je lui demandais ce que nous allions bien pouvoir faire de ce butin, il haussait les épaules.

— Je n'en sais rien, donne-les, vends-les, fais ce que tu veux.

Il y avait des vêtements, dont j'ai donné bon nombre il est vrai, mais aussi des téléviseurs, des machines, des tables de massage, des meubles, etc.

Tout ce trésor inutile était emmagasiné dans un immense entrepôt où mon mari ne mettait jamais les pieds. Une véritable caverne d'Ali Baba. J'ai commencé alors à vendre tout ce matériel stocké et qui ne profitait à personne. C'était le seul business que je pouvais réaliser.

J'ai organisé méthodiquement mon commerce. Pour les vêtements, la porcelaine, les meubles, les lampes et autres bibelots, le vendredi, quand la population saoudienne se reposait, quand elle pouvait dépenser un peu d'argent après l'office à la mosquée, j'ouvrais une grande braderie dans le garage de notre palais. Totalement couverte de mon voile, employée anonyme parmi tant d'employés, je gérais les ventes. Il n'était guère aisé de faire du négoce ainsi affublée, je voyais mal à travers le tissu noir, je ne distinguais pas les chiffres sous le soleil impitoyable. Heureusement, mes « collègues » philippins me secondaient dans la comptabilité.

Quant au reste, télévisions, radios, magnétoscopes, tables de massage, tapis de jogging, j'ai organisé un véritable réseau de commissionnaires, libanais, égyptiens, philippins, américains. Je préparais moi-même les descriptifs de vente, je confiais la marchandise à mes intermédiaires qui, pour cinq à dix pour cent, écumaient toutes les couches de la société saoudienne, toutes les ambassades, tous les milieux d'affaires.

Et je vendais à tour de bras ! Tout ce que je pouvais. Depuis les objets les plus lourds difficiles à manier jusqu'au moindre colifichet.

Je vendais même parfois des joyaux ou des colliers d'or que je ne portais pas. En revanche, je gardais les bijoux « artistiques ». En effet, il est très dangereux de spéculer à court terme sur des pierres montées en bijou. En définitive, expérience faite, je crois qu'il ne faut jamais vendre ses parures, à moins d'avoir vraiment besoin d'argent. Il faut laisser vieillir un bijou, permettre au temps de lui donner sa noblesse. Comme pour le vin. Avec les années, le travail ajouté confère de la valeur à l'objet. Les artisans sont de moins en moins compétents, ils sont de moins en moins nombreux, l'ouvrage réalisé il y a cinquante ans ne se fait plus ou alors pour des sommes délirantes. Un bracelet que Louis Cartier vendait dans les années 1930 dix mille francs en vaut actuellement peut-être cinq cent mille car c'est une pièce Art déco, réalisée par M. Cartier lui-même. Aujourd'hui, je possède de vieux Van Cleef et Arpels, des Joël Rosenthal ou des Cartier qui valent une fortune, mais je ne les vendrai pas. Je porte de temps à autre ces joyaux anciens, sauf les gros colliers qui ne sont plus mon style. Il n'empêche que ces colliers, je les fais « travailler », en les utilisant comme garantie pour des emprunts qui me permettent d'effectuer des investissements.

Amir considérait d'un œil amusé ces ventes tous azimuts et vantait auprès de ses amis mes capacités de négociante. Et puis ce qui comptait pour lui, c'était que je porte mon voile, que je n'aguiche pas les hommes, consciemment ou non ; le reste n'avait pas d'importance et il avait suffisamment d'argent pour me laisser « m'amuser » ainsi.

L'argent de ces ventes a été la base de ma fortune. Ce commerce avait un franc succès. C'est ainsi que j'ai gagné mon premier million de dollars. Par la suite, j'ai fait fructifier mes gains, j'ai investi dans l'immobilier, les terrains et la Bourse.

Plus tard, après la guerre du Golfe, quand j'ai appris par les journaux qu'on allait réorganiser et planifier la vente en Arabie Saoudite d'une boisson mondialement connue, j'ai fait le pari que les actions de cette marque allaient crever les plafonds à Wall Street. J'en ai acquis pour cent mille dollars à New York et en quelques mois j'ai joliment multiplié ma mise.

En août 1990, les prémices de la guerre du Golfe ont transformé mon existence. Elles ont eu des conséquences fondamentales sur mon développement et mon itinéraire. Un peu le même effet qu'avait eu l'Amérique sur ma personnalité des années auparavant.

Avant même le déclenchement des hostilités, mon mari nous a envoyés à Monaco, les enfants et moi. Memphis était trop éloigné pour qu'il vienne nous voir quand il le pouvait. De plus, en bonne épouse, je devais, moi, aller lui rendre visite toutes les deux semaines. Car lui, en bon citoyen, ne pouvait absolument pas quitter le pays et son roi en cette période de tension. Les petits allaient à l'école américaine de Nice, je résidais dans notre appartement de Monaco.

Dans la principauté, je me suis éclatée durant quatre mois, saisie à nouveau par le virus d'une vie normale, d'une vie à l'européenne. Je pouvais sortir sans que personne ne me juge, je pouvais fréquenter qui je voulais, aller danser, nager à la piscine, me rendre au spectacle. Je me soûlais de liberté. Mon caractère trop longtemps contenu explosait sous le ciel de la Méditerranée.

C'est à cette époque que j'ai rencontré le prince Albert. Je faisais du jogging sur la plage, ayant garé ma Porsche rouge un peu plus loin, devant le Houston Palace, immeuble moderne et opulent. À mon retour, j'ai aperçu le prince négligemment appuyé sur ma voiture, discutant avec des copains. Je ne savais que lui dire... J'ai fait encore un tour en courant, un petit circuit en rond pour lui laisser le temps de s'éloigner. Quand je suis revenue, il était toujours là. Comment me présenter et lui indiquer que je voulais monter dans ma voiture ? Je me suis approchée et je lui ai déclaré :

— Vous ne savez pas qui je suis, mais je sais qui vous êtes. Et ce n'est pas parce que vous êtes le prince Albert que vous avez le droit de vous vautrer sur ma voiture...

Il a ri et j'ai précisé :

— Nous avons deux choses en commun : nous aimons le sport et les voitures rapides. Mais même cela ne vous donne pas le droit de vous appuyer sur la mienne.

Un peu intrigué, il m'a demandé :

– Mais qui êtes-vous ?

– Je ne vous dirai pas qui je suis.

Que pouvais-je lui dire d'autre ? Que j'étais l'épouse obscure et inconnue d'un milliardaire saoudien dont le bateau mouillait au port ? Je n'étais rien. J'ai senti à cet instant la frustration de n'être personne, de n'avoir rien fait de ma vie, d'être seulement la femme de quelqu'un de riche mais jamais présent.

Finalement, je pense que le prince s'est renseigné pour savoir qui était cette brunette mystérieuse à la Porsche rouge. Quelques jours plus tard, nous nous croisions de nouveau dans un café brésilien où il avait en permanence une table réservée. Il s'approcha de moi et me dit simplement ·

– Maintenant, je sais qui vous êtes...

Le prince Albert est vraiment quelqu'un d'exceptionnel, un homme comme je les aime, d'une politesse exquise et raffinée. Tous les deux, nous avons les mêmes goûts, nous apprécions le sport, la mer, la voile. Nous sommes devenus amis. Il adore danser, j'adore danser. Nous sommes allés ensemble au *Jimmie's* et au bal de la Rose, et il est monté quelquefois à bord du *Princess Mouna*.

Il m'a invitée à un thé au palais et m'a parlé de ses œuvres de bienfaisance. Le prince a fondé l'association Monaco Aide et Présence en faveur des enfants en difficulté, cause à laquelle il demeure très

attaché. Depuis notre rencontre, je soutiens régulièrement cette fondation. Je pense que toute personne
riche qui évolue au sein de la jet-set doit faire de
son mieux pour soutenir ceux qui se consacrent à
une action charitable.

VII

DIVORCER PAR AMOUR

Après la guerre du Golfe, et à la suite de cette nouvelle phase d'émancipation, Amir et moi nous nous séparons pour la deuxième fois, en 1992. Un divorce assez bizarre et plutôt surréaliste. Je m'imaginais qu'une autre femme était entrée dans sa vie ; en tout cas, il s'absentait beaucoup et, définitivement, je ne m'entendais plus avec lui. On se parlait à peine, on ne communiquait pas. Il n'était pas juste qu'étant mariés, nous partagions si peu. En raison de l'état d'esprit saoudien, il avait la liberté, je ne l'avais pas. Tout ce que je voulais maintenant, c'était rester à Riyad pour les enfants, et obtenir mon indépendance afin de mener ma barque comme je l'entendais. Les années Memphis comme mon séjour à Monaco m'avaient donné une certaine confiance en moi, m'avaient permis de prendre de la distance. Alors j'ai dit à Amir :

— J'accepte de rester à Riyad pour les petits. Seulement ici, toi tu vis ta vie, et je ne vois pas pourquoi je ne vivrais pas la mienne. Je veux obtenir un peu de liberté et me déplacer à ma guise. Si je souhaite aller à Paris, pour une fête, pour un anniversaire, je ne veux plus avoir à te demander la permission. Je ne veux pas t'humilier en allant danser ici ou là, alors que je serais encore ton épouse. Donc le mieux est de se séparer. On reste amis mais on vit chacun de son côté. Moi je continue à m'occuper des enfants, mais en ayant la possibilité de quitter parfois ce pays où j'étouffe.

Il a réfléchi et a accepté ma proposition à la condition que je ne me remarie pas. Sur cette base, je pouvais demeurer dans le palais de Riyad.

On a divorcé sans drame. Je suis rentrée en décembre 1992 de Crans à Riyad, les papiers du divorce m'attendaient. J'ai signé. J'étais libre.

En janvier 1993, un mois après notre deuxième divorce, j'ai décidé de m'absenter de Riyad quelques jours, pour aller à Los Angeles participer à une soirée donnée par des amis en faveur des enfants diabétiques. Par correction, j'ai téléphoné à Amir pour l'en informer. Il m'a fait toute une scène, m'accusant de frivolité, comme si l'on était encore mariés ! Il était ulcéré que je puisse laisser ma fille et mes fils dans le seul but d'aller participer à une fête. Comme une idiote, j'ai accepté ses remontrances et j'ai renoncé à mon voyage aux États-Unis.

Au mois de mars, le prince Albert m'a envoyé une invitation pour le bal de la Rose à Monaco. Cette fois je décidai de m'y rendre, sans le dire à Amir. Je suis partie discrètement, mais une semaine plus tard, *Paris-Match* publiait des photos de la soirée... sur lesquelles on pouvait aisément me reconnaître. Scandale absolu dans la société saoudienne ! Tout recommençait comme par le passé. Je payais mon billet d'avion, je vivais sur mon argent personnel, je ne recevais plus de cadeaux et pourtant j'étais toujours l'objet des regards cruels et suspicieux de tout le monde. J'avais perdu sur tous les tableaux. Je suis allée trouver mon ex-mari et je lui ai dit :

— Ça ne marche pas, ce divorce. Si chaque fois que je fais un pas à gauche ou à droite je suis critiquée, il vaut mieux se remarier.

Il a accepté tout de suite. Je crois qu'il vivait dans la terreur que je rencontre un autre homme au cours de mes voyages et qu'une liaison affichée vienne ternir son image en Arabie Saoudite. Alors que je voulais simplement aller et venir à ma guise.

Nous nous sommes remariés dès le lendemain, après moins de quatre mois de divorce ! Comme d'habitude, le cheik est venu au palais, il a prononcé les paroles d'usage, j'ai signé les documents, j'étais à nouveau sa femme. Ça devenait une manie ! Il faut dire qu'en Arabie Saoudite, les formalités du divorce comme celles du mariage se révèlent très simples. Pour le mariage, en l'occurrence, il suffit de la présence du cheik, de deux témoins et... d'accomplir le devoir conjugal. Amir semblait satisfait : j'étais de nouveau sa femme.

Nous avions divorcé à deux reprises. Amir était certain que je m'en tiendrais là : en droit musulman, une troisième séparation ne peut être que définitive. Mon mari devait être persuadé qu'à trente-cinq ans, mère de cinq enfants, je ne le quitterais plus. Pensait-il que j'étais à présent une femme résignée qui allait se ranger comme toutes les Saoudiennes, en priant Allah et en me soumettant à mon maître ? Désormais, certain que je ne partirais pas – comment abandonner une des plus grosses fortunes du monde ? –, Amir ne me témoignait plus aucune attention.

L'inégalité dans notre couple, l'injustice que je subissais chaque jour, chaque heure, notre incompatibilité foncière me torturaient mentalement à tel point que je ne parviens pas à trouver les mots pour décrire la souffrance lancinante qui était la mienne. À certains moments, ma douleur face à ma propre réalité était si grande que j'en devenais muette, je ne parvenais plus à émettre le moindre son, je ne pouvais plus parler, j'étais comme tétanisée, insensible, absente... Et les choses ne sont allées qu'en s'aggravant. Le désaccord entre nous était si profond, si présent, que le personnage même de mon mari n'existait plus pour moi. Je l'avais rayé de mon univers mental. Il était devenu un extraterrestre, je l'ai surnommé « l'homme invisible », il appartenait à une autre planète. Les deux dernières années, je suis devenue insensible à ce qu'il était et à ce qu'il disait. Quand il était présent, je ne le voyais pas, je ne l'entendais pas, je ne le sentais pas. C'était effrayant. Nous faisions chambre à part, je dormais souvent avec mes petits. Tous ensemble nous nous blottissions dans un grand lit de trois mètres de large et nous nous amusions comme des gosses.

Chaque fois que nous nous approchions un peu l'un de l'autre, Amir et moi, nos relations tournaient au désastre en raison des différences religieuses et culturelles. Ce ne fut pas seulement l'échec d'un mariage, ce fut également un échec sociologique.

Nous étions opposés en tout. Même nos habitudes et nos goûts étaient complètement divergents : je me levais à six heures du matin, je n'aimais pas la lourde cuisine arabe, je détestais la musique saoudienne, lui préférant l'égyptienne ou la libanaise, et j'avais horreur des cabarets qu'Amir adorait. Ces différences s'accentuaient avec le temps, avec l'âge. J'étais véritablement isolée, non seulement par les hauts murs qui entouraient notre palais, mais aussi par la nature de la société et par ma nature propre.

Pendant des années, j'ai connu la même journée, la même routine. C'était d'une monotonie, d'une tristesse infinies. Une vie vide, encore plus difficile à supporter quand les enfants allaient à l'école. Je tournais alors en rond dans le palais et je faisais de l'exercice. Mais pour qui ? Pour quoi ?

En dépit de ma personnalité, de ma naïveté, de mon incapacité à croire dans une religion, j'aurais pu m'acclimater par amour pour mon mari, j'aurais pu faire des efforts si j'avais été entourée et aimée. On dit que la faculté d'adaptation est une forme d'intelligence et d'une certaine manière je me suis adaptée. Mais à quoi ? À la solitude, à une vie terne, bien éloignée du conte des mille et une nuits que certains imaginaient. Dans cet isolement forcé, j'ai quand même évolué positivement : j'ai contribué à la guérison de mon fils, j'ai gagné de l'argent, je me suis occupée de moi, j'ai beaucoup lu. Bref, je me suis préparée à mon existence future sans le savoir.

Bien souvent, les gens ne comprennent pas. Ils se disent que j'étais couverte d'or, de diamants, de robes, de voitures. Oui, mais quand vous êtes rejetée par une société entière, toute la richesse du monde ne suffit pas. J'étais différente et c'était mon plus grand tort. Je n'étais pas issue de ce milieu et je ne ressemblais en rien à ces femmes saoudiennes ou libanaises qui, elles, semblaient s'accommoder fort bien de la situation.

Je suis sans doute quelque part comptable de notre déconfiture finale. Dans toute relation humaine, les deux parties sont responsables du succès comme de l'échec. Si je n'avais pas déserté le terrain conjugal, si je ne m'étais pas réfugiée auprès de mes enfants, les choses auraient peut-être été différentes.

Je continuais à faire mon devoir de mère, avec plus d'ardeur encore. Je me suis jetée dans l'éducation de mes enfants, devenant membre du Conseil des parents de l'école américaine, première femme arabe jamais élue à ce poste important. Pour m'occuper, pour oublier, je suis devenue très active.

Mon fils aîné était définitivement guéri ; le petit, asthmatique, ne faisait plus de crises : nous n'avions donc plus de raisons d'aller en Amérique. J'étais folle de bonheur pour mes enfants enfin tirés d'affaire, mais condamnée à Riyad à perpétuité.

Le Liban, qui avait été ravagé par une guerre interminable, sortait du cauchemar et commençait à vouloir rebâtir sur ses ruines. En octobre 1992, les premières élections législatives depuis vingt ans conduisirent Rafic au poste de Premier ministre à Beyrouth. Cet homme qui pèse, dit-on, dix milliards de dollars, se démenait depuis dix ans sur la scène libanaise. Il avait distribué des milliers de bourses d'études, mis ses avions privés à la disposition des députés et des chefs de milices, financé des œuvres de charité, entrepris à ses frais des travaux publics importants dans la capitale. Il était devenu l'indispensable pourvoyeur de fonds du pays, l'homme de confiance de l'Arabie Saoudite et des États-Unis qui voyaient en lui un agent d'influence indispensable. Et Rafic avait su également gagner la confiance des Syriens qui lui avaient donné carte blanche dans le domaine économique.

Accédant au pouvoir, il a su stabiliser la monnaie et proposer un plan à long terme pour la reconstruction du centre de Beyrouth. Mais il est aussi celui qui a islamisé le Liban et voulu répandre la loi coranique sur le pays ; le roi Fahd lui faisait confiance pour donner les leviers de commande à des sunnites. Les chrétiens voulaient en revanche un État démocratique et laïque, et j'espère bien aujourd'hui que le Liban ne tournera pas le dos à la démocratie laissée jadis par la France.

Même si Rafic était plus proche d'Amir que de moi, je l'appréciais. Je le trouvais sympathique et extrêmement intelligent. Il m'impressionnait par sa générosité, mais je savais qu'une invisible barrière nous séparait : nous étions tous les deux devenus saoudiens, mais il était musulman d'origine libanaise, et moi de la même origine mais chrétienne ; quelque chose nous unissait, mais nous appartenions à des communautés qui s'étaient opposées durant de nombreuses années.

Quand son associé est devenu Premier ministre du Liban, Amir a pris les choses avec une certaine ironie. Il se moquait ouvertement des ambitions politiques de Rafic. Des railleries acerbes qui n'affectaient guère son ami : lorsque mon mari voulait se rendre au Liban, Rafic, très aimable, lui envoyait son avion, ses voitures et ses gardes du corps. Leurs rapports étaient surprenants.

En ce qui me concerne, j'ai pensé profiter de mes relations avec le nouveau Premier ministre pour aider mon pays d'origine. En compagnie des épouses des ambassadeurs de Suède, d'Argentine et du Chili, je suis partie à Beyrouth en visite quasi officielle. Le but de notre voyage était d'examiner ce que nous pouvions faire à partir de Riyad pour apporter notre secours à un État qui se relevait de la guerre.

Mon souci était le problème des ordures : les déchets s'accumulaient partout. Rafic s'est très bien occupé de notre délégation, facilitant pour moi la rencontre avec le ministre de l'Environnement et organisant la visite des usines de traitements de déchets. Nous avons constaté que les machines étaient vétustes et qu'une tâche importante devait être accomplie. J'ai alors proposé au Premier ministre un programme mis au point par des professeurs suédois et allemands pour prendre en charge les monceaux d'ordures entassés à Beyrouth et les recycler dans la production d'électricité. J'ai étudié le projet durant six mois, consacrant dix mille dollars à son élaboration et à sa mise au point. Le Premier ministre ne m'a jamais répondu. Qui donc était passé par là ?

J'avais espéré me rendre utile dans mon pays d'origine et je n'y étais pas parvenue. Ma vie s'égrenait à Riyad, triste et solitaire. Mais j'avais à présent mes affaires à mener. Je travaillais avec l'Europe, constamment au téléphone pour suivre les cours de la Bourse, pour acheter, pour vendre, pour suivre les prix des terrains et des immeubles.

Dans ce domaine, Amir me laissait agir. Il était souvent loin et ne revenait à Riyad que lorsque le roi le réclamait. Il ne m'en surveillait pas moins, que ce soit au palais ou sur notre bateau. Il me fallait des ruses de Sioux pour pouvoir m'échapper.

Pour aller manger une glace et me promener sur le port, à Cannes, à Saint-Tropez ou à Monaco, j'avais trouvé un stratagème : je me déguisais en officier de bord. Ainsi vêtue, chemise blanche avec épaulettes et barrettes, casquette vissée sur la tête, je sortais avec l'équipage. Souffrant d'une mauvaise vue, Amir ne pouvait pas me distinguer dans la cohorte des uniformes. Dès que je voyais appareiller l'annexe — le canot qui faisait la navette avec la terre —, je m'y précipitais ainsi accoutrée. Jusqu'au jour où Amir m'a démasquée. J'étais montée dans l'annexe, mais je ne savais pas que l'officier se dirigeait vers le yacht du prince Mohamed pour charger mon mari... Je me suis retrouvée stupidement dans ce canot face à lui. J'ai bafouillé que j'étais venue pour le chercher. Je ne sais pas s'il m'a crue, mais il m'a interdit désormais de m'affubler de cette tenue d'officier. Mon subterfuge était éventé.

Quand mon mari courait le monde, en revanche, j'étais libre, en dehors de Riyad, bien sûr. Je me laissais aller à la frivolité. J'avais passé trop d'années enfermée à faire mon devoir, je voulais désormais vivre ce que j'avais envie de vivre. La nuit, je sortais.

J'allais dîner et danser à Monaco, et je rentrais très tard. Je pensais que l'amour d'Amir pour moi s'était évaporé car mon comportement lui était apparemment indifférent. J'avais enfin obtenu la liberté que je réclamais depuis si longtemps, mais une liberté sans amour, sans passion, sans l'ombre d'un sentiment.

Et je me suis sentie captive de cette indépendance ! Amir ne paraissait plus m'aimer, je m'imaginais ne plus l'aimer et nous étions coincés dans cette union absurde. Une vraie prison. Jadis, quand je souffrais tout en essayant désespérément de réussir mon mariage, je comprenais et j'acceptais mes tourments. En raison peut-être de mon éducation catholique, je croyais que la peine et les épreuves faisaient partie de la vie et devaient être reçues comme une grâce. À partir du moment où l'amour semblait avoir disparu, plus rien n'avait de sens.

Sur le *Princess Mouna*, je recevais la jet-set internationale. Je vivais la belle vie et je distribuais des milliers de dollars pour acheter le silence de l'équipage. La société saoudienne devait tout ignorer de mes joyeux débordements.

J'avais une amie adorable, Wendy Starck, fille du grand producteur hollywoodien Ray Starck. J'allais la voir à Los Angeles en racontant n'importe quel bobard à mon mari : je devais consulter un médecin

américain, j'avais mal aux dents, une hanche me faisait souffrir, il me fallait subir une mammographie...
Et je me rendais aux fêtes de mon amie où je côtoyais
des gens comme le réalisateur Oliver Stone, Clint
Eastwood, Silvester Stallone, Lionel Ritchie. Je sortais avec tous mes bijoux, un vrai défoulement. Je
devais apparaître à leurs yeux comme une nouvelle
riche un peu stupide. J'en faisais trop parce que je
voulais bouffer la vie. Je me sentais, moi aussi, une
actrice : je jouais un rôle en Arabie Saoudite et un
autre aux États-Unis.

Or quelques-unes de ces stars louaient des bateaux
l'été et quand ils apercevaient le *Princess Mouna*, ils
se souvenaient de la jeune femme déconcertante
mais si joyeuse qu'ils avaient croisée à Hollywood...

Un jour, nous nous trouvions au large de l'île
grecque d'Ios, un paradis isolé du monde où, dans
une crique discrète, nous pouvions nous baigner.

J'étais sur la plage avec les enfants quand le capitaine m'appela pour m'informer qu'il venait de recevoir un message d'un bateau ancré non loin : à son
bord se trouvait Steven Spielberg, et celui-ci exprimait le souhait de venir visiter le *Princess Mouna*, en
compagnie de ses enfants et de Tom Hanks... Mes
gamins à moi étaient enthousiastes, quelle joie de
recevoir le réalisateur d'*E.T.* ! Nous avons pris
rendez-vous pour dix-sept heures, et nous avons
regagné le bateau à la hâte : il nous restait peu de
temps pour tout mettre en place.

Durant deux heures, nous avons couru dans tous

les sens afin de recevoir dignement nos hôtes prestigieux. À dix-sept heures, nous étions prêts : fleurs, buffet, tout était impeccable...

Le temps passait, mais Spielberg ne montrait toujours pas le bout de sa barbe. À dix-huit heures, le capitaine a contacté le bateau pour demander ce qui était arrivé. On lui a répondu :

— Désolé, M. Spielberg dort, nous ne pouvons pas le déranger.

Furieuse, j'ai dit au capitaine :

— Levez l'ancre, on part !

Nous avons pris la direction de Mykonos. Ainsi, quand Steven Spielberg daignerait se réveiller, le *Princess Mouna* aurait disparu de son horizon ! Mais les capitaines parlent entre eux au moyen de la radio et le réalisateur a vite appris vers quelle île nous nous dirigions... Le lendemain matin, nous avons aperçu derrière nous le fameux navire qui nous avait coursés toute la nuit. Spielberg a demandé, une fois encore, de pouvoir monter à bord. J'ai fait répondre :

— Dites à Mister Spielberg que la propriétaire dort et que vous ne pouvez pas la déranger.

Et nous avons de nouveau levé l'ancre. Pendant trois jours, Spielberg nous a ainsi suivis, demandant régulièrement à être reçu à bord. Et j'ai opposé, chaque fois, la même excuse :

— La propriétaire dort... et ne peut être dérangée.

En revanche, Sylvester Stallone avec sa femme Jennifer et une dizaine de pontes de la Warner, le réalisteur Oliver Stone, le prince Felipe d'Espagne, Bettino Craxi, président du Conseil italien, ont répondu à mes invitations. J'ai offert un dîner de plus de soixante couverts pour le prince Albert, j'ai organisé un dîner privé pour le prince Rainier et deux de ses amis proches.

Au large de Palma de Majorque, j'ai eu l'occasion de recevoir le roi et la reine d'Espagne. Un matin, le palais de Palma a appelé le capitaine pour lui dire que Leurs Majestés désiraient visiter l'intérieur du bateau dont elles avaient entendu parler par le père de Juan Carlos qui avait eu l'occasion de monter à bord. Revenant de la plage avec mes enfants dans l'après-midi, j'ai été informée que le roi et la reine passeraient dans la soirée... Nous avons préparé un dîner. La reine Sophie ne s'est pas attardée car elle avait un autre dîner, mais le roi et sa suite sont restés toute la soirée avec mes enfants et moi. Dans la salle de projection, nous avons regardé ensemble *Platoon,* qui venait d'arriver des États-Unis.

Des gens célèbres venaient sur le bateau et je parvenais à tenir mon rang, à communiquer, à me faire des amis. Ce n'était pas facile pour moi d'être « la femme à la mode », dans la jet-set. D'abord, j'étais arabe, ce qui constitue un premier handicap. Ensuite, j'étais très riche, ce qui peut être un autre handicap. Enfin, j'étais peu cultivée puisque j'avais été longtemps enfermée en Arabie Saoudite où il n'y avait d'ailleurs aucun musée, aucune bibliothèque digne de ce nom. Je n'avais jamais entendu parler de certains peintres très réputés et c'est grâce au père de mon amie Wendy, grand collectionneur d'art contemporain, que j'ai rattrapé un peu mon retard.

Je vivais donc dans le luxe, les paillettes et l'éclat, et Amir n'en savait rien. Ce fut mon âge d'or, je me transformais en femme du monde, je me parais de bijoux, je montrais mon pouvoir... et je me culpabilisais la nuit. Le soir, quand je me mettais au lit, je me disais : « Ça c'est la vraie prison, parce que c'est de la tromperie. » Je songeais que j'étais en train de dépenser l'argent de mon mari pour mon propre plaisir, et mon éducation catholique remontait à la surface : je craignais la punition divine, celle dont on me menaçait quand j'étais enfant. Le jour où il apprendrait ce que je faisais, comment je vivais, Amir me répudierait et je perdrais mes enfants. Je commençais à paniquer. Je voulais le divorce, certes, mais je ne désirais pas donner à mon époux la chance de me rejeter dans l'humiliation et la honte comme la première fois.

Et pourtant je ne faisais rien de bien répréhensible ! Je ne trompais pas mon mari, contrairement à certaines de ses compatriotes dûment voilées en public, mais qui s'en donnaient à cœur joie en l'absence du maître. Les Saoudiens ne savent pas ce qui se passe dans leurs « harems ». Ils imaginent, les pauvres, que toutes les dames attendent comme des prisonnières le bon vouloir de l'époux... Mais quand une femme est assez futée, elle peut mener une vie dévergondée, couverte par le voile pudique du silence. Certaines couchent avec leur chauffeur philippin, d'autres font la fête à Paris et, d'une manière éhontée, partent à la pêche aux amants dans la belle société occidentale. Tout cela avec une infinie discrétion, bien sûr.

Et je ne saurais les condamner car enfin, certains hommes saoudiens réputés fondamentalistes, en prennent drôlement à leur aise avec les principes du Coran ! Ils boivent du whisky, jouent au black-jack et au poker, écument les lupanars occidentaux et font dans les capitales européennes des fêtes éhontées. Et pendant ce temps, il faudrait que leurs femmes, sous peine de répudiation ou de lapidation si elles font un écart, suivent à la lettre leurs règles d'emprisonnement et l'anonymat d'un lourd manteau qui les met encore plus sous cloche !

Je respecte toutes les religions, mais je ne peux admettre que l'on châtie en leur nom alors que soi-même on ne se plie pas à leur morale. Cette cruelle hypocrisie m'indigne profondément.

Pour ma part, je me demandais : à quoi rime mon existence ? J'avais une vie à moi, un mari, des enfants. Mais je mentais à ce mari et je me mentais à moi-même. En pensant que je me vengeais d'Amir je me vengeais de moi, je me détruisais. J'étais perdue et je n'étais pas heureuse, même en côtoyant toutes ces célébrités. J'étais prise dans le tourbillon insensé d'une révolte incontrôlable.

En même temps, il arrivait encore que nous nous comportions comme des amants terribles, Amir et moi. Nos bagarres frisaient le crime passionnel. Pour des riens. Pour des heurts d'orgueil et de personnalités.

Un jour, je lui ai proposé de recevoir à bord Freddie et Lucile Heinecken, avec leurs enfants et petits-enfants. Un couple hollandais adorable, propriétaire de la fameuse marque de bière. Amir accepta. C'était l'été, il faisait très chaud et, le jour venu, j'ai mis simplement une petite robe noire en coton et des sandales en plastique. Je lisais le journal sur le pont en attendant nos invités quand je vis mon mari surgir de sa cabine. Il était en costume bleu marine, chemise bleue, cravate rouge, des chaussettes noires en cachemire, une paire de chaussures noires en daim et, pour parfaire le tout, il s'était inondé de parfum...

Comment allais-je lui suggérer d'aller se changer ? Il était très susceptible, et n'avait aucune imagination quand il s'agissait de se vêtir. Je le regardais, constatant les dégâts, et je pensais que, quoi que je lui dise, il allait éclater. Sur le quai, j'aperçus soudain Freddie et Lucile, lui en short et chemise blanche légère, elle en pantalon avec un tee-shirt. Très cool, très simples. Soit je ne disais rien et nos invités allaient penser que mon mari était ridicule, soit je me décidais. Je lui ai lancé :

— Vite, va te changer. Regarde, M. Heinecken vient en short et en chemise de lin...

Dépité, il me marmonna :

— Voilà, même quand je fais des efforts pour te plaire, je ne te plais pas !

Je me suis énervée :

— Ce n'est pas pour moi que tu fais des efforts. Va te mettre en short ! Je ne veux pas que M. Heinecken te voie dans ce costume...

Il est parti et n'est pas revenu. Nous nous sommes mis à table, nous avons dîné et, au dessert seulement, Amir a réapparu. Il était en chemise blanche et short beige, très sympathique. J'ai souri. Non parce que j'avais gagné, mais parce que lui avait gagné. Il avait compris. Dans l'oreille, je lui ai glissé combien je le trouvais beau. Il m'a répondu entre ses dents :

— Je ne veux pas que tu me parles.

Lorsque nos invités se sont éclipsés, Amir a laissé éclater sa colère. Quand il s'est approché de moi, j'ai cru qu'il allait m'étrangler. Mais je suis plus forte que lui — et plus jeune —, j'ai failli l'étrangler à mon tour ! Il a jeté à travers la pièce un gros cendrier en Daum, je m'en suis saisie, je le lui ai lancé et il a failli le prendre en pleine figure.

Jamais je ne me suis pliée devant la violence. Je suis née avec un sens aigu de la justice. Si l'on me gifle la joue gauche, je ne tends pas l'autre joue, je gifle à mon tour.

Il faut rendre la souffrance que les autres nous font subir. Quand mon mari m'a négligée, je l'ai négligé ; quand je n'existais plus pour lui, il n'existait plus pour moi. Je traite les gens comme ils me traitent. Telle a toujours été ma façon d'être. Amir pouvait-il supporter un pareil caractère ?

De plus en plus, l'idée du divorce définitif germait en moi. J'en parlais à mes sœurs et à mes intimes. Ma meilleure amie, Betsy Bloomingdale, me déconseillait la séparation. Elle prétendait que tous les hommes sont pareils, que je restais la mère des enfants de mon mari, la femme qu'il respectait. De son côté, ma sœur Sonia me soutenait qu'Amir ne pouvait vivre qu'avec une épouse à la forte personnalité.

— Si tu le laisses, une femme énergique va l'accaparer et les enfants vont souffrir, me disait-elle

En juillet 1995, pour son anniversaire, les enfants, Wendy, Betsy et moi avons attendu Amir sur le bateau. Mes amies savaient que les choses allaient mal entre lui et moi, et elles tentaient d'arranger un peu la situation. Ordinairement, il aimait fêter son anniversaire en famille, mais cette année-là, bien que je lui aie demandé expressément de nous rejoindre parce que les enfants avaient préparé de beaux cadeaux et parce que Betsy et Wendy avaient fait spécialement le voyage des États-Unis pour cette occasion, il n'est pas venu.

L'été a passé, Wendy et Betsy sont reparties en Californie. Fin août, alors que nous nous apprêtions à retourner en Arabie Saoudite où les enfants devaient reprendre l'école, Amir est enfin apparu. On l'a vu deux jours. On a fait une fête plutôt morose, de véritables funérailles, on lui a offert les cadeaux et on est rentré à Riyad.

J'ai réfléchi. Vraiment notre mariage se mourait. Amir était de plus en plus lointain. Que faisait-il lors de ses déplacements ? Qui fréquentait-il au palais, pendant mes propres absences ? Pourquoi s'enferrer dans une relation qui ne représentait plus rien ?

Le 29 août, rentrée seule avec les enfants, j'ai pris ma décision. Je lui ai envoyé un fax sur le *Princess Mouna* pour lui signifier que tout était terminé. La rupture par télécopie ! Cette idée m'avait été inspirée par Lionel Ritchie qui, paraît-il, s'y était pris de cette manière pour son propre divorce. La facilité offerte par les communications modernes m'arrangeait bien : je n'aurais pas eu le courage de dire en face à mon mari ce que j'avais à lui annoncer. Je n'ai pas fait un texte long, je ne me suis pas déversée en injures ou en récriminations. J'ai simplement, en quelques lignes, mis un terme à près de vingt ans de conjungo :

« À mon âge et pour moi, un mariage représente bien plus de choses que des jets privés et des yachts. Récemment, nous avons été incapables de communiquer sincèrement nos pensées et nos sentiments, de même que nous avons été incapables de partager une vraie vie de couple, une vie intelligente et productive. Ce qui est le plus important pour toi, ce sont tes amis et tes plaisirs. Au lieu de cela, nous vivons dans un monde de mensonges qui va grandissant avec les distances et tes longues absences. Sois assuré que je ne me mettrai pas en travers de ta route pour faire obstacle à ton bonheur et que je ne veux pas discuter des problèmes révolus. Je souhaite n'aborder que des questions futures concernant notre divorce et nos enfants.

« Oui, ceci est une demande officielle de mon troisième divorce. En ce qui concerne notre présent, je ne me considère pas comme ta femme et tu es un homme libre. Je ne te demanderai plus aucune explication ni aucun compromis. Je n'attendrai de toi qu'un traitement juste pour les enfants et pour moi un arrangement équitable.

« Finalement, je suis d'accord avec toi, il n'est plus nécessaire de nous revoir, les choses peuvent être arrangées par l'intermédiaire d'un avocat, à l'aide du téléphone et du fax. »

Pour Amir c'était une gifle. Jusqu'à la dernière minute, il a cru que je reviendrais à genoux, implorant son pardon. D'après ce que l'on m'a rapporté, il a tremblé de rage durant plusieurs jours. Pour ma part, j'ai attendu une réponse. En vain. Il ne m'a pas appelée, il n'est pas venu.

J'étais sûre de ne jamais obtenir le divorce et je savais qu'en restant en Arabie Saoudite, sous la coupe de mon mari, je ne parviendrais à rien. Si je voulais me battre pour ma liberté, il était nécessaire que je le fasse de l'étranger, sur un terrain où j'étais son égale.

En décembre, les enfants et moi sommes partis en Suisse pour les vacances. À Crans, nous avons décoré l'arbre de Noël comme chaque année. Un peu de ski, des promenades dans la neige et le moment de retourner chez nous est arrivé.

À la fin du séjour, j'ai décidé de larguer les amarres. J'ai renvoyé mes enfants à Riyad et je suis partie pour New York à la recherche d'un avocat. J'ai vu de nombreux juristes, aucun ne voulait me représenter sous prétexte que j'étais saoudienne, résidente en Arabie Saoudite.

Mon mari m'a enfin appelée. Il m'a prévenue que je commettais la plus grande erreur de ma vie en désertant le foyer conjugal.

— Tu n'as pas compris que je ne veux pas revenir. Je ne rentre pas à moins d'avoir les papiers du divorce, ai-je répliqué, sûre de moi.

— Tu ne les auras qu'en Arabie Saoudite, a-t-il répondu.

Je ne voulais absolument pas retourner là-bas en étant mariée car, sous ce statut, Amir avait sur moi tous les droits. J'étais coincée.

J'ai pensé alors qu'une seule chose pouvait me sauver : la presse. Car si mon mari n'était pas homme à se laisser facilement intimider, il était depuis toujours terrifié par les reporters et leurs indiscrétions. Je crois que c'est la seule chose qui pouvait l'effrayer.

En janvier 1996, la princesse Ira de Fürstenberg exposait à New York quelques bijoux de sa collection. Je la connaissais depuis longtemps car elle était, comme moi, cliente de Chanel et l'on se voyait souvent dans les salons de la rue Cambon. Invitée à son exposition, je m'y suis rendue en robe Chanel magnifique, surmontée d'un sautoir en améthyste Art déco. Ira m'a accueillie chaleureusement, elle m'a embrassée sous les flashes des photographes et un chroniqueur du *New York Post* a voulu savoir qui j'étais...

Il n'a rien trouvé dans les archives et a fait sa petite enquête. Il a écrit un bref article sur « la belle Saoudienne Mouna Al-Tharik ». Le lendemain de la parution, je recevais une lettre des avocats de mon mari m'interdisant d'utiliser mon nom de femme mariée : Amir ne voulait pas de cette publicité pour moi.

À la suite de cet entrefilet, James Reginato, du magazine new-yorkais *W,* m'a appelée pour que je lui accorde une interview. J'ai longtemps hésité et finalement j'ai accepté. C'était une manière de me protéger : je savais qu'une fois mon visage dévoilé dans une revue aussi prestigieuse, j'entrerais sur la scène publique. Dès lors, même si je revenais en Arabie Saoudite, il devenait difficile pour Amir de me retenir dans le pays. Un seul article dans *W* ferait de moi une femme sinon célèbre, en tout cas sous les feux de l'actualité. Pour les journalistes, mon histoire était sensationnelle : une femme saoudienne, encore mariée, qui possédait les plus belles toilettes et les plus beaux bijoux, se libérait et faisait la fête à New York !

En effet, je menais une existence folle, comme si je voulais rattraper le temps perdu. Je rencontrais toute la haute société new-yorkaise. Toujours excessivement bijoutée, excentrique et extravertie, je détonnais et je choquais dans ce monde de l'argent discret. Car si les Américains se veulent généralement très ouverts sur la question de l'argent, le milieu de la « old money » new-yorkais, en revanche, reste extrêmement secret et hypocrite sur ce point. Pas question d'exhiber sa fortune, tout doit demeurer feutré, l'argent est un tabou qui ne peut être violé. Avec ma franchise et mes diamants maladroitement étalés, j'apparaissais comme une parvenue un peu vulgaire, totalement en porte-à-faux avec son nouvel entourage. Et on n'a pas tardé à me le faire sentir. En même temps, des soupirants, généralement mariés, cherchaient vainement une aventure gratifiante à ajouter à leur palmarès... Je devenais une rivale pour les femmes et un objet de critique pour les hommes.

J'étais certes conviée tous les soirs à un gala ou à une réception, mais il n'y avait aucune amitié, aucune sincérité, dans ces invitations : on cherchait seulement à me soutirer quelques poignées de dollars pour soutenir une cause ou me pousser à quelque investissement hasardeux. En définitive, j'ai compris que les riches m'agacent et m'ennuient, et j'ai cherché plus de vérité dans la compagnie des créateurs de mode, des artistes et des acteurs.

Si la presse s'intéressait à moi, c'était là aussi sans aménité. Elle critiquait ma manière d'être et ma fortune trop complaisamment déployée. J'étais pourtant terriblement malheureuse, perdue, prisonnière de ma propre indépendance.

L'article de *W* est sorti dans le numéro de février 1996, à la grande colère du roi Fahd. Il estimait qu'en tant que Saoudienne j'avais terni l'honneur du pays. En voulant vivre ma vie, sans la protection de mon mari et sans que celui-ci ait la possibilité de me remettre sur le droit chemin, j'avais rompu avec la tradition.

À Riyad, tous ses amis conseillaient à Amir de sauter dans son avion et d'aller me chercher. Trop fier, il a refusé. S'il était venu, s'il m'avait dit qu'il avait compris pourquoi je voulais le quitter, je lui serais certainement revenue. Une fois encore. Pour sauver la famille, les enfants, notre honneur.

Après la publication de l'article, Amir a compris que plus rien ne pouvait être préservé entre nous. Bientôt, le fax crachait les conditions du divorce. Du jour au lendemain, un seul article avait fait de moi la femme qui osait se libérer de ses chaînes.

Ont suivi des semaines d'interviews, mais aussi de tractations par l'intermédiaire des avocats de mon mari. Finalement, nous nous sommes mis d'accord et j'ai accepté de rentrer à Riyad pour signer les papiers. Pourtant, je n'avais guère confiance : je n'étais pas encore divorcée et selon la loi saoudienne j'étais toujours soumise à l'autorité de mon mari. Mais ce n'était pas de lui que j'avais le plus peur. Dans ce pays intégriste, une femme comme moi était passible du fouet, de la lapidation probablement. Je redoutais la réaction d'un forcené de l'Islam pur et dur. Alors j'ai laissé des lettres à de nombreux amis, à mon frère, à mes sœurs, et je leur ai dit :

— Si dans deux mois vous n'avez pas de mes nouvelles, publiez ces lettres.

J'ai demandé à James Reginato, du *W*, de m'appeler toutes les semaines à Riyad. Je craignais pour ma liberté, je craignais pour ma vie. Mais je pensais que, même si quelque fanatique faisait le projet de s'en prendre à moi, la menace d'une révélation à l'étranger retiendrait sa main.

Le 19 février 1996, vingt ans jour pour jour après la première déclaration d'amour d'Amir et sa demande en mariage, nous nous apprêtions à signer notre convention de divorce, la troisième, donc la dernière, irrévocable. C'est à ce moment que, pour la première fois depuis bientôt un an, il m'a demandé de le rejoindre dans sa chambre.

Un piège pouvait se cacher sous ce brusque retour d'affection : si je faisais l'amour avec lui, il pouvait exiger trois mois d'attente encore avant le divorce, temps prévu par la loi religieuse pour s'assurer que je n'étais pas enceinte. D'un autre côté, il n'était pas question de me dérober : il était encore mon mari, j'étais dans son pays et sous son toit... Et, plus que tout, j'étais curieuse. Je voulais savoir de quoi il était capable.

Et j'ai su qu'il était encore capable de m'aimer. Alors que j'étais profondément convaincue qu'il n'y avait plus rien entre cet homme et moi, l'amour a ressurgi entre nous comme un feu de joie. Un amour passionnel. Inimaginable, même au cinéma, même dans les romans. Vraiment l'amour, pas le sexe. Cet homme que je pensais dur, cruel, s'est révélé à ce moment-là un mari tendre et prévenant. Il a pleuré en disant combien il m'aimait, il a pleuré en me demandant de ne pas le quitter, de ne pas briser le bonheur de nos enfants... Mais il était trop tard, j'étais passée à une autre étape de ma vie et, surtout, je ne pouvais pas lui pardonner les blessures du passé. Peut-être parce que j'étais toujours amoureuse de lui.

Finalement, je pense que j'ai voulu le divorce parce que je l'aimais. Par jalousie. Je redoutais qu'il fût déjà avec une autre femme. Ma vie avec Amir a été une véritable histoire d'amour. Ma séparation aussi. Une histoire d'amour étouffée par le carcan d'une société rigoriste et injuste. Et si aujourd'hui nous souffrons tous les deux, c'est parce que nous nous aimons encore. Il est toujours le seul homme qui compte pour moi, le premier, le père de mes enfants, celui dont le souvenir me déchire le cœur.

Il avait tenté la plus belle des réconciliations et j'ai refusé. Nous sommes ensuite descendus dans le bureau de mon mari où le cheik et les témoins nous attendaient. J'ai hésité avant de signer, mais je me suis dit que je ne pourrais plus recommencer cette vie. Avec Amir, je continuerais à être malheureuse. Même s'il m'aimait, même si je l'aimais.

Pour mes enfants, j'aurais peut-être dû renoncer à ma liberté, mais je n'en ai pas eu la force. Je ne pouvais plus accepter de vivre un châtiment permanent. J'avais été assez punie durant onze ans pour avoir osé avouer un penchant pour un autre homme, pour avoir refusé mon sort, pour avoir repoussé ces traditions qui me révulsaient. J'avais payé durant trop longtemps un prix que je ne pouvais plus payer désormais. Ma vie avait été trop pénible. Qu'étais-je devenue, moi la petite star de mon collège jésuite ? Par amour pour Amir, je m'étais faite esclave. J'y avais consenti pour mes enfants mais désormais je ne pouvais plus l'accepter.

Maintenant, mes enfants ont grandi et quoi que je fasse, quoi que je dise, ils sont aussi une partie de leur père, une voix leur dira toujours que je suis la vraie coupable. D'ailleurs, mon fils aîné a été mis au courant de ma romance avec Matthew et, convaincu que je suis une mauvaise femme, il refuse aujourd'hui de m'adresser la parole. Ce garçon, que j'aime tant, qui fut la première preuve de notre amour, que j'ai tant soigné, tant entouré, pour qui j'ai tellement tremblé, semble avoir tout oublié de ces années-tendresse, et me renie cruellement. Sans doute m'aurait-il plus facilement pardonné si je n'avais pas demandé mon troisième divorce, définitif...

Mais que pouvais-je faire d'autre ? Dans mon mariage, j'ai agi finalement comme j'agissais étant enfant quand les autres me faisaient souffrir, quand je ne pouvais surmonter ma douleur et que je me sentais seule : je suis partie. Je pars toujours...

VIII

RÉINVENTER SA VIE

Adieu cadeaux de reine, jet privé, amour-passion, prison dorée ! Mais j'avais mon argent, mon indépendance, mes affaires, et il avait été convenu avec mon ex-mari que je resterais dans le palais familial de Riyad aussi longtemps que les enfants auraient besoin de moi.

Je me suis organisée à ma manière : pour ma collection de haute couture j'ai fait aménager un dressing-room de cinq cents mètres carrés avec placards climatisés. Puis j'ai pensé que ma collection appartenait plus à Paris qu'au désert. J'ai alors décidé d'emporter mes robes avec moi. J'ai commencé à les emballer et je les ai transportées au cours de mes voyages, petit à petit. Je les ai placées sur des mannequins afin qu'elles retrouvent leur forme et elles ont lentement envahi la maison.

J'ai vécu dans le palais de mon ex-mari jusqu'à la rentrée scolaire de 1996. Fin août, j'ai inscrit mes enfants à l'école et deux semaines plus tard Amir a décrété que je devais quitter son toit. Je suppose qu'il supportait mal de me voir libre dans ses parages, et sans doute beaucoup de jeunes femmes voulaient-elles prendre ma place. Sa demande me chagrinait en raison des enfants, néanmoins Amir ne me demandait pas de quitter le pays. Dans ces conditions, mes petits pourraient toujours venir me rejoindre, m'appeler au téléphone régulièrement, voire s'installer avec moi lorsqu'ils en auraient envie ou besoin. J'ai donc accepté de louer une villa dans le quartier diplomatique de Riyad, le seul où les femmes étrangères avaient quelques privilèges et pouvaient sortir sans le voile.

Quelque temps plus tard, de passage à Paris, je me suis retrouvée au milieu de mes robes. J'ai constaté que j'avais réuni une superbe collection de mille cent quarante pièces et désormais, chaque année, je l'augmente des plus belles œuvres sorties des ateliers des créateurs.

Je cherche maintenant une bâtisse en banlieue pour en faire un vrai conservatoire de la mode, un lieu dont le seul but sera de garder ces merveilles à la bonne température, loin de la lumière, loin de la poussière. Car cette collection de grande valeur doit être préservée. Elle est un témoignage unique d'une forme d'art contemporain. La plus chère d'entre toutes les toilettes qu'elle comporte, la robe or de Chanel, vaut à elle seule un million cinq cent mille francs. Ce prix n'est pas justifié seulement par la création et les fils d'or mais aussi par le travail : l'œuvre a nécessité mille deux cent quatre-vingt-dix heures d'efforts ! Un ouvrage effectué par une seule personne, car si plusieurs ouvrières y avaient mis la main, les différences se seraient vues dans la broderie. La Chanel or est le clou de ma collection, sans doute, mais ce n'est pas la robe que je préfère. J'aime mieux d'autres modèles, plus simples, plus épurés.

Parfois, quelques spécimens sortent de chez moi pour une vente de charité, pour une exposition. J'en ai cédé vingt-deux pour une opération à Londres chez Christie's en faveur de l'atelier des enfants du Centre Georges-Pompidou. En juillet 1999, j'ai exposé cent vingt robes à l'Espace Mode Méditerranée de Marseille, une manifestation qui a eu un si grand succès qu'il a fallu la prolonger de deux mois. À cette occasion, les Marseillais m'ont reçue comme une reine, le maire m'a même faite citoyenne d'honneur de la ville ! La boucle était bouclée, je revenais dans cette cité qui avait marqué ma jeunesse, au début de mes études universitaires. Je retrouvais la Canebière, le port, le château d'If au large et... le métro était terminé ! J'aime cette ville, j'aime ses habitants et je crois qu'ils me le rendent bien : en ce qui concerne l'exposition consacrée à mes robes, quarante mille visiteurs s'y sont précipités.

Je continue, à chaque saison, d'enrichir ma collection. Quitte à faire des sauts dans le temps et des retours vers le passé. En effet, j'ai raté jadis certains défilés de mode en France, particulièrement à l'époque où je me rendais régulièrement à Rome pour participer à l'élaboration des plans du *Princess Mouna*. J'achetais alors des robes chez Valentino et je délaissais un peu les créateurs parisiens. Ainsi, en 1988, Saint Laurent a créé des vêtements inspirés des peintures de Van Gogh et cette collection m'a échappé. Dix ans plus tard, le célèbre couturier a ressorti ses modèles fétiches pour les faire défiler au Stade de France, au moment de la Coupe du monde de football. Passant au salon de couture pour prendre un accessoire, j'ai vu cette collection Van Gogh et j'ai été séduite. J'ai commandé la veste « Iris » dix ans après sa création. Quand on aime vraiment la couture, ce n'est pas pour courir après la vogue du moment, c'est pour acquérir des pièces maîtresses. Je ne voulais pas que manquent à ma collection ces créations importantes, sans conteste parmi les plus belles de Saint Laurent.

Encore une fois, cette collection que je préserve n'est pas destinée à mon seul plaisir. C'est un legs que je veux faire à toutes les femmes. Car, effectivement, la haute couture inspire la vie de toutes les femmes : les créateurs, dans leurs extravagances, bousculent le train-train de la tradition, inspirent le prêt-à-porter et bientôt font chanter la rue. Poiret et Chanel ont libéré nos grands-mères et nos mères, Dior a exalté, en son temps, une silhouette inoubliable, Paco Rabanne a fait triompher sur le podium les éclats métalliques du futur, Cardin les formes géométriques et Saint Laurent, le maestro, le plus grand, a permis aux couleurs d'entrer dans la haute bourgeoisie compassée du pierreux boulevard Saint-Germain. Et de tous leurs délires il reste des formes, des tailles tour à tour libérées, étranglées, soulignées, des jupes réduites à une peau de chagrin ou dansant au ras des trottoirs, des tenues qui rendent le trajet au bureau moins maussade et des toilettes de rêve pour le soir. Pour la magie du soir, quand les femmes actives échangent leurs semelles compensées contre des talons aiguilles, remettent du rimmel à leurs cils et un peu de blush à leurs joues pour aller virevolter, tels des papillons exotiques, autour des lumières chimériques de la nuit.

Et puis, j'ai mon voilier. L'histoire d'amour entre le *Phocea* et moi commença en 1992. Cet été-là, nageant dans la baie de Cala di Volpe, en Sardaigne, je me suis dirigée vers ce splendide bateau qui appartenait alors à Bernard Tapie. J'ai été immédiatement subjuguée par sa forme fuselée, ses quatre-mâts blancs qui montaient fièrement vers le ciel, cette apparence de long félin étendu sur la mer. Un vrai coup de foudre. J'ai demandé à le visiter mais l'officier de garde a refusé de me laisser monter à bord. Intraitable, il m'a laissée me débattre dans l'eau et m'en retourner sans m'accorder plus d'attention. De retour sur le *Princess Mouna*, je ne parvenais pas à détacher mon regard de ce voilier. C'est à cet instant que je me suis juré qu'un jour il serait ma propriété.

C'était exactement le genre de bateau dont je rêvais. Ce quatre-mâts exprimait la liberté, l'amour de la mer et des grands espaces. Il me rappelait mes racines phéniciennes et soudain, comme mes lointains ancêtres, je rêvais de filer vers le large pour conquérir le monde. Un voilier ne possède jamais le luxe ostentatoire et tapageur de certains yachts à moteur, c'est un bateau sensuel qui permet d'appréhender physiquement les flots et les vents, qui oblige l'homme à se mesurer aux éléments et à les dompter. À côté de l'élégance racée d'une goélette, les bateaux à moteur font piètre figure : ce ne sont que des appareils de navigateurs paresseux où tout n'est que machines, techniques et ronronnements.

Quelques années après qu'on m'eut refusé de monter à son bord et alors que j'étais encore mariée, j'appris que le *Phocea* était à vendre. Il était amarré près du *Princess Mouna* au quai des Milliardaires, dans le port Vauban d'Antibes. J'en ai profité pour l'explorer avec mes enfants, qui l'ont adoré. Mes fils se voyaient déjà aux commandes, pulvérisant tous les records de vitesse. J'ai pensé que ce bateau serait une bonne école pour mes quatre garçons : ils y apprendraient la mer et l'effort, ils s'initieraient à une longue et subtile formation qui leur permettrait de composer avec la nature pour s'échapper sur les océans. Mais mon mari ne s'intéressait guère aux lignes pures du *Phocea* et ne partageait en rien ma passion pour la voile. J'ai donc abandonné provisoirement le projet.

Il refit surface pendant l'été 1996, après notre ultime séparation. J'avais espéré la visite de mes enfants, mais leur père les avait emmenés loin, sur son bateau. Pour moi commençait le temps des frustrations. Ma famille naviguait quelque part en Méditerranée et je restais à Paris à attendre un coup de fil qui ne venait pas...

Le *Phocea*, alors, resurgit dans ma mémoire. Il me fallait acquérir un bateau afin de suivre mes petits durant leurs pérégrinations estivales. Je savais aussi que mes amis hollywoodiens cherchaient régulièrement des bateaux confortables et originaux pour passer leurs vacances... Le voilier cristallisait soudain pour moi le lien avec mes enfants, le goût de l'élégance, l'amour de la mer et le sens des affaires.

Deux ans après la liquidation du groupe Bernard-Tapie, le bâtiment n'avait toujours pas trouvé acquéreur. Je tenais ma chance. Ce coursier des mers de soixante-quinze mètres de long, mille cinq cent quatre-vingt-six mètres carrés de voilure, plus huit cent vingt-cinq mètres carrés de spinnaker, construit pour le navigateur Alain Colas en 1976 avait été conçu dans le but unique de rafler tous les trophées. Cette année-là, le *Club Méditerranée* – puisque tel était son nom à l'époque – avait pris le départ de la course Plymouth-Newport parmi cent vingt-cinq autres concurrents. Hélas, la goélette ne répondit pas aux espoirs mis en elle. De violentes tempêtes obligèrent le navigateur solitaire à faire relâche : les voiles nécessitaient d'urgentes réparations. Colas parvint tant bien que mal à faire traverser l'Atlantique à son voilier, mais la course fut remportée par le *Pen Duick VI* d'Éric Tabarly. Par la suite, le célèbre club de vacances qui avait parrainé la construction du bateau s'en servit pour transporter des touristes dans les Antilles et aux Caraïbes. En 1983, il fut racheté par Tapie qui le rebaptisa *La Vie Claire*, puis *Phocea* et y engloutit, dit-on, soixante-huit millions de francs en travaux techniques et embellissements. Il en a fait un yacht de luxe sur le pont duquel il aimait à traiter ses affaires en toute décontraction. Ce qui n'a pas empêché ce voilier de participer à la course transatlantique et de gagner. Jusqu'aujourd'hui, le *Phocea* détient le record de vitesse de traversée parmi les monocoques.

En 1996, pourtant, avec les années, le *Phocea* s'était bien dégradé et les premiers prix proposés par les liquidateurs de Bernard-Tapie Finances avaient effrayé les acheteurs éventuels venus de Hong-Kong, d'Australie et du Moyen-Orient. Ce champion orphelin me faisait mal au cœur. En 1997, devenue le seul véritable acquéreur potentiel, j'ai pu l'emporter au prix de trente-six millions et demi de francs.

Pour cette opération, il m'a fallu réaliser une grande partie de mes biens et j'ai eu une chance folle : j'ai retiré mes avoirs engagés sur les places financières asiatiques, très à la mode à l'époque. Quelques mois plus tard, ce marché s'est écroulé, laissant sur la paille des foules d'investisseurs...

Nous avons pu rapidement déterminer les améliorations, les réfections et les transformations à apporter au bateau, définissant méthodiquement les insuffisances du bâtiment : il était nécessaire de réaménager entièrement certains dispositifs intérieurs afin d'en faire un yacht de croisière plus confortable. Sur le plan technique, il fallait envisager un moteur plus puissant, un système d'air conditionné plus performant, un câblage électrique aux normes et la restauration des mâts, une révision du gréement.

Chez Lürssen, un chantier naval de Brême, en Allemagne, le voilier a été démonté, décortiqué. La première tâche fut de le rendre opérationnel après plusieurs années d'abandon. Rien ne fut facile car chaque transformation en imposait d'autres. La mise en place d'un nouveau moteur d'appoint, par exemple, exigeait l'installation de réservoirs de combustible plus vastes. Il y a aujourd'hui quarante-huit kilomètres de câbles électriques neufs, ajoutés aux vingt kilomètres qu'on avait trouvés en bon état. Pompes à eau et dessalateurs ont été changés, nous avons créé trois cuisines, dix-sept salles de bains et deux buanderies, mis en place cinquante lignes téléphoniques, cinq ordinateurs. Et même une usine à traiter les déchets. On pourrait vivre là complètement coupé du reste de la planète pendant deux mois consécutifs.

Dans ces travaux de rénovation, les questions de poids et de vitesse ont guidé mes choix car je tenais à ce que le bateau ne perde rien de ses merveilleuses dispositions. La plate-forme arrière ouverte sur la mer est amovible et les meubles sont démontables. Si le *Phocea* devait un jour participer de nouveau à une course, il retrouverait rapidement son allure sportive.

Pour mener à bien ces importants travaux – le budget total de cent millions de francs a été vite dépassé –, j'ai vendu quelques-uns de mes plus beaux joyaux. Quatre ans plus tôt, j'avais acquis pour trois millions de dollars chez Graff à Londres le *Star of Africa*, un diamant jaune naturel de cent quinze carats. Je n'avais pas fait une très bonne affaire, d'autant qu'au cours des années suivantes le prix des gemmes n'a cessé de baisser. Au moment où j'ai eu besoin d'argent pour terminer les travaux du *Phocea*, j'ai eu l'idée de faire retailler la pierre. On y perdait, certes, quelques carats, mais l'opération supprimait les défauts du brillant, permettant ainsi de le faire passer de la catégorie « jaune fantaisie » à celle supérieure et mieux cotée de « jaune intense ». C'est ainsi que le *Star of Africa* est devenu le *Mouna*, le plus gros diamant « jaune intense » du monde.

Sans regret, j'ai englouti nombre de mes bijoux dans ma passion pour le voilier.

Sorti du chantier de Brême le 5 juin 1999, après dix-huit mois de travaux, le *Phocea* a retrouvé la mer pour une croisière au grand large qui nous a permis de tester son gréement. Le test se révélant satisfaisant, j'ai pu commencer à rentabiliser mon bateau. Enfin, rentabiliser, c'est beaucoup dire. On ne fait pas fortune avec un voilier ! Cela nécessite un tel entretien, de telles charges ! Sur le *Phocea*, un équipage de dix-sept personnes, du capitaine au mousse en passant par les cuisiniers et les femmes de chambre, est au service de douze passagers. Je n'en accepte jamais à bord plus de douze en effet, pour des raisons de sécurité, d'assurances et de règlements maritimes. Je propose mon bateau à la location, et il y a de la demande. La fascination est forte pour ce genre de charter de luxe !

Sous ses apparences sportives, le *Phocea* est, en effet, devenu un voilier magnifique à la fois intime et fastueux, aux murs intérieurs de bois, aux décorations en acajou et en érable. Je n'ai pas voulu qu'un décorateur m'impose ses idées, je savais exactement ce que je voulais faire de mon bateau. Par exemple, je tenais à ce que la courbe de la coque soit visible de l'intérieur, sans rupture : là se trouvent la vraie beauté et le charme authentique d'un voilier.

Ce voilier est aujourd'hui ma principale occupation. Il représente pour moi un travail quotidien très prenant, d'intendance et de maintenance. Mes années de gestion du *Princess Mouna* qui employait un équipage de soixante-six personnes ont constitué à cet égard une expérience précieuse. J'étudie de près toutes les demandes du capitaine, je gère l'équipage, je suis en contact avec le chantier naval, je reste attentive aux mille détails qui font la vie du somptueux quatre-mâts. Car il faut tout surveiller, la pompe à eau et les fusibles, la livraison des pièces de rechange et les dates de garantie... Jusqu'aux embrasses de rideaux commandées à Paris et qu'il faut aller chercher à l'atelier afin de les mettre en place pour le début de la saison.

Je cherche un port d'attache pour administrer tout cela. Et je me fais l'effet d'un nomade à la recherche d'une patrie. Quand donc arriverai-je au port ?

Enfant, j'habitais le Liban mais je ne me sentais pas chez moi dans ce pays déchiré. Adolescente, j'étudiais en France mais sans ressources, donc sans pouvoir profiter des opportunités de la capitale. Plus tard, en Arabie Saoudite, on m'a rejetée comme une femme impie. Puis je suis partie aux États-Unis pour soigner mon fils, mais si j'ai adoré Memphis, rien ne pouvait me faire oublier la magie parisienne. En définitive, mon histoire a été celle de déplacements successifs et les résultats n'ont pas été très brillants : je passais d'une dépression à l'autre. Quel pays me rendra-t-il l'aptitude au bonheur ?

Dans toutes les capitales où je me rends, je suis dans mon élément en tant que business-woman parce que je peux y travailler, mais je n'ai pas encore l'impression d'y être vraiment chez moi. N'étant ni française, ni américaine, ni autre, je ne me sens pas protégée face aux attaques dont je suis l'objet en Arabie Saoudite : que pourrait faire la police face à un commando d'islamistes venus me châtier ?

Et qu'on ne pense pas là que je sois paranoïaque ! Les médisances colportées sur mon compte ne se cantonnent pas à l'Arabie Saoudite mais remontent jusqu'au pays de mon enfance. Et quand vous lisez, dans le magazine libanais *Nadine*, que vous « poignardez les Arabes dans leur virilité », que vous « endossez les habits d'une prostituée », vous la mère des enfants d'un homme plus qu'honorable, vous pouvez logiquement imaginer que des représailles pourraient suivre. Voilà ce qui m'attendrait sûrement si je retournais à Riyad, ou même à Beyrouth, mais qui dit que cela ne peut pas advenir ailleurs ?

La vérité, c'est que je suis traquée. Je crâne, je sors, je me laisse photographier, mais je reste une cible.

Et ce qui me désespère, c'est cette haine déchaînée contre moi, tant dans le pays de mon mari que dans le Liban de ma jeunesse. J'ai peur, surtout, que cette campagne de dénigrement – le mot est faible – m'éloigne à jamais de mes enfants.

Mes enfants... Sans doute faudrait-il qu'ils soient plus mûrs – même l'aîné, même toi, Nayef, mon fils tant chéri – pour comprendre. L'éducation américaine ne saurait les empêcher de rester sensibles au verdict de leur pays d'origine. Or qu'en est-il, de ce verdict, en ce qui me concerne ? Il faut quand même savoir décrypter le verset du Coran qui châtie une femme « rebelle et désobéissante ». Que peuvent penser des enfants d'une mère condamnée ?

Déjà mon fils aîné ne m'adresse presque plus la parole. Mes autres garçons se révèlent lointains, même quand je vais leur rendre visite. Seule ma fille reste en étroit contact avec moi. Elle est l'unique complice que j'ai dans la vie. Malheureusement, je la vois très peu car elle est pensionnaire, mais je ne le regrette pas. J'estime que ces séparations, même si elles arrivent toujours trop tôt, sont fondamentales pour forger un caractère. Moi-même, on l'a vu, j'ai été séparée de ma mère en bas âge et c'est peut-être une des raisons pour lesquelles je suis aussi forte, aussi déterminée à ne pas succomber à la douleur, à la peine, et à l'humiliation.

Grâce à mon éducation, à ma mère, à ma grand-mère, à ma formation chez les Jésuites, ma révolte s'est transformée en réussite. Aujourd'hui, mon parcours reste assez exceptionnel : femme arabe, j'existe sans homme. Or, d'habitude, dans le monde islamique pur et dur, les femmes n'ont d'existence que par rapport à leur mari. Si mon exemple contribue à faire que certaines d'entre elles abandonnent un jour le statut de femme objet au profit d'un épanouissement plus valorisant, je ne me serai pas rebellée pour rien.

Bien sûr, dans l'Arabie Saoudite des hommes tout-puissants, on doit dire à ces femmes que cette rébellion n'est qu'une déchéance puisque je vis à l'occidentale. Et alors, où est le crime ? Si je veux trouver des clients pour le *Phocea*, il faut bien que je fréquente certains milieux d'affaires. Si l'on m'invite pour me remercier d'un don fait à une œuvre, pourquoi devrais-je refuser ? Quant à fréquenter la jet-set, je ne vois pas pourquoi je bouderais ces oiseaux migrateurs de l'élégance dorée alors que c'est par leur intermédiaire – en partie – que j'ai retrouvé ma confiance en moi et une forme de liberté. Et c'est grâce à eux que mon *Phocea* sera rentable.

Aucune de ces fréquentations, pourtant, ne m'empêche de mener une vie saine, jogging tous les matins, travail de gestion qui dépasse largement les trente-cinq heures par semaine, et relations publiques à l'avenant : la location d'un bateau de luxe et la gestion d'un portefeuille boursier s'accommodent rarement d'une existence d'ermite.

Mais rien de cela ne me libérera d'un épouvantable chagrin : celui d'un amour gâché et de mes enfants perdus. Ce livre parviendra-t-il à convaincre mes garçons que leur mère les a aimés plus que tout au monde et que, pour le reste, avant de la juger il faudrait la comprendre ? La compassion est une des vertus majeures de l'Islam, du véritable Islam. Le mot implique de partager les douleurs d'autrui. Je n'en demande pas tant à mes petits hommes : juste un peu de miséricorde, et d'amour.

Mes cinq enfants, durant de longues années, furent mon principal horizon et notre séparation a bien failli provoquer de nouveau en moi une dépression profonde. Mais, cette fois, je n'ai pas voulu céder à ce refuge dans l'anéantissement : on aurait saisi l'occasion pour clamer alentour que j'étais complètement folle. En plus du reste... Je me suis donc dit que si je me trouvais privée, à plus ou moins long terme, de ma progéniture, d'autres enfants, des milliers dans le monde, avaient besoin d'un peu de bonheur et de bien-être. Je m'occupe donc d'eux, et pas seulement en envoyant des chèques ! Je rends visite à certains responsables politiques pour les persuader de l'obligation d'une éducation distribuée à tous, je vais voir les imams pour leur parler de la nécessité d'instruire les filles, et je me rends dans les hôpitaux car je sais, par expérience, que rien n'est plus triste qu'un enfant malade.

Quant à mon rire, que l'on ne manque pas de me reprocher aussi, j'ai toujours ri, même à travers mes larmes. Catherine de Russie disait à sa suivante : « Il faut être gaie, Madame, c'est la seule chose qui fait que l'on surmonte tout. » Sur ma gaieté s'échouent les vagues de l'apatride que je suis désormais, les ressacs d'un chagrin d'amour et d'humanité qui a brisé mon existence, et le vent glacial du manque : celui de mes enfants.

Le sourire est aussi une arme de rebelle : il est le sésame des voyages, du commerce, de la convivialité, et il peut galvaniser le courage. Il m'a beaucoup servi.

Mais je ne suis pas dupe : quand le rire devient trop bruyant c'est qu'il résonne sur du vide. Il est vrai que malgré toutes mes luttes, malgré tous les espoirs et après tant de livres dévorés pour tenter de trouver mon vrai chemin, je n'ai pas encore réussi à combler ce manque d'amour insatiable, à l'origine de mes excès comme de mes succès. Mais il me reste du temps pour découvrir d'autres sources de richesses que les diamants jaunes ou les mâts de cocagne, pour vaincre la rancœur et aimer gratuitement, sans besoin de retour, tout ce qui fait la vie. À quarante-trois ans, je voudrais commencer à vivre...

TABLE DES MATIÈRES

Direction littéraire
Huguette Maure

assistée de
Deborah Kaufmann

Impression réalisée sur CAMERON par
BRODARD ET TAUPIN
La Flèche

pour le compte des Éditions Michel Lafon
en août 2000

Imprimé en France
Dépôt légal : août 2000
N° d'impression : 3592
ISBN : 2-84098-624-8
LAF : 090